S'aider
soi-même

Catalogage avant publication de
Bibliothèque et Archives nationales du Québec et
Bibliothèque et Archives Canada

Auger, Lucien

S'aider soi-même:
une psychothérapie par la raison

(Alter ego)

I. Morale pratique.   2. Santé mentale.   3. Émotions.
4. Réalisation de soi.   I. Titre.   II. Collection: Alter ego
(Éditions de l'Homme).

BF637.C5A93   2004   158.1   C2004-941112-8

Gouvernement du Québec – Programme de crédit d'impôt pour
l'édition de livres – Gestion SODEC – www.sodec.gouv.qc.ca

L'Éditeur bénéficie du soutien de la Société de
développement des entreprises culturelles du Québec pour son
programme d'édition.

Conseil des Arts   Canada Council
du Canada   for the Arts

Nous remercions le Conseil des Arts du Canada de l'aide
accordée à notre programme de publication.

Nous reconnaissons l'aide financière du gouvernement du
Canada par l'entremise du Fonds du livre du Canada pour nos
activités d'édition.

01-13

Dépôt légal: 2004
Bibliothèque et Archives nationales du Québec

ISBN 978-2-7619-3740-5

DISTRIBUTEURS EXCLUSIFS:

Pour le Canada et les États-Unis:
MESSAGERIES ADP*
2315, rue de la Province
Longueuil, Québec J4G 1G4
Tél.: 450-640-1237
Télécopieur: 450-674-6237
* filiale du Groupe Sogides inc.,
  filiale de Québecor Média inc.

Pour la France et les autres pays:
INTERFORUM editis
Immeuble Paryseine, 3, Allée de la Seine
94854 Ivry CEDEX
Tél.: 33 (0) 4 49 59 11 56/91
Télécopieur: 33 (0) 1 49 59 11 33
Service commandes France Métropolitaine
Tél.: 33 (0) 2 38 32 71 00
Télécopieur: 33 (0) 2 38 32 71 28
Internet: www.interforum.fr
Service commandes Export – DOM-TOM
Télécopieur: 33 (0) 2 38 32 78 86
Internet: www.interforum.fr
Courriel: cdes-export@interforum.fr

Pour la Suisse:
INTERFORUM editis SUISSE
Case postale 69 – CH 1701 Fribourg – Suisse
Tél.: 41 (0) 26 460 80 60
Télécopieur: 41 (0) 26 460 80 68
Internet: www.interforumsuisse.ch
Courriel: office@interforumsuisse.ch
Distributeur: OLF S.A.
ZI. 3, Corminboeuf
Case postale 1061 – CH 1701 Fribourg – Suisse
Commandes: Tél.: 41 (0) 26 467 53 33
                 Télécopieur: 41 (0) 26 467 54 66
                 Internet: www.olf.ch
                 Courriel: information@olf.ch

Pour la Belgique et le Luxembourg:
INTERFORUM BENELUX S.A.
Fond Jean-Pâques, 6
B-1348 Louvain-La-Neuve
Téléphone: 32 (0) 10 42 03 20
Télécopieur: 32 (0) 10 41 20 24
Internet: www.interforum.be
Courriel: info@interforum.be

Lucien Auger

Préface d'Isabelle Nazare-Aga

S'aider soi-même

Une psychothérapie par la raison

LES ÉDITIONS DE
L'HOMME

Une société de Québecor Média

PRÉFACE

Il y a 2000 ans déjà, le philosophe Épictète disait : « Ce ne sont pas les événements qui troublent les êtres humains, mais l'idée qu'ils s'en font. » Ce qui relevait de la philosophie est devenu, au XXe siècle, une pratique thérapeutique structurée et efficace : la Thérapie Émotivo-Rationnelle.

Cette approche cognitive est d'abord née aux États-Unis. Dès 1950, le psychologue américain Albert Ellis construisit un modèle impliquant la primauté des pensées sur les émotions. Il existe, en effet, un lien étroit entre le contenu des croyances, qu'on appelle « cognitions » et le vécu émotionnel ressenti par chacun d'entre nous. Si cette notion relève de l'évidence pour certains, il faudra tout de même attendre les années 1960 pour que la psychologie clinique en tienne compte.

Lucien Auger était doté d'un doctorat en philosophie avant même de devenir docteur en psychologie. Cette combinaison en fit le précurseur de la Thérapie Émotivo-Rationnelle au Canada. Pendant de nombreuses années, Lucien Auger et Albert Ellis ont d'ailleurs entretenu une correspondance régulière. Fort de ses expériences cliniques de cette approche avec de nombreux patients, Lucien Auger a pu nous offrir plusieurs écrits sous forme d'ouvrages et de manuels pratiques. S'aider soi-même est un livre de référence consacré aux schémas de pensées irrationnelles les plus courantes et s'adresse au grand public. Il démontre, sous forme de dialogues socratiques, comment il est possible de confronter certaines fausses idées, génératrices d'émotions fortes et perturbantes, avec le réel. C'est un livre vivant et concret.

En tant que thérapeute comportementaliste et cognitiviste, je le préconise chaleureusement à mes propres patients. Ces derniers y trouvent une aide conséquente même si la démarche confronte et bouscule par certains aspects des croyances irrationnelles jusque-là bien enracinées.

Le but d'un tel ouvrage est de nous aider à repérer nos propres exigences irrationnelles, comment les contester au travers d'arguments empiriques, logiques et heuristiques solides et les remplacer par des croyances saines, des désirs et des préférences. Ainsi, nous pouvons commencer à développer une philosophie réaliste face aux événements de la vie.

L'agressivité intellectuelle relatée parfois démontre de façon éloquente le dilemme interne et les résistances que supposent les premiers moments de ces confrontations cognitives. Évidemment, le fait de considérer de nouvelles perspectives et de reprendre la responsabilité de sa propre vie demande un effort certain. Mais cette approche porte ses fruits : elle favorise l'acceptation inconditionnelle de soi, l'acceptation des autres et de leurs actes... sans nécessairement les apprécier. Elle permet aussi de hausser son seuil de tolérance vis-à-vis des frustrations sous la forme suivante : ayons le courage de changer ce qui peut être changé, la sérénité d'accepter ce qui ne peut être changé, sans pour autant l'aimer, et la sagesse de reconnaître la différence entre les deux...

Avant de vous laisser à la lecture de cet ouvrage fort percutant, je tiens à rendre hommage à son auteur, Lucien Auger, qui a beaucoup œuvré à faire découvrir cette approche par le grand public, notamment au Canada. Il a quitté ce monde, et je suis sûre qu'il nous rappellerait que cet événement est aussi une chose naturelle de la vie, donc acceptable...

Isabelle Nazare-Aga

INTRODUCTION

Un grand nombre d'êtres humains se plaignent de vivre d'une façon malheureuse. Malgré les progrès techniques réalisés au cours des derniers siècles, et qui nous rendent matériellement la vie plus aisée qu'à nos grands-parents, l'homme ne semble pas être très habile à se rendre lui-même heureux. Beaucoup d'entre nous connaissent de brefs instants de bonheur, éclaircies dans le marécage de peur, de doute, d'angoisse, d'hostilité, de rage et de frustration qui constitue la trame de nombreuses vies humaines.

Les spécialistes mettent gravement en cause les tensions de la vie moderne, l'insécurité face à un monde en changement rapide, l'influence du choc du futur, la désagrégation des structures sociales, l'effondrement de la moralité privée et publique, la perte de la foi en Dieu, et le reste. Si ces phénomènes sont la cause du malheur actuel de la plupart des gens, on ne comprend pas bien que nos aïeux n'aient pas été des gens plus heureux. Décidément, les causes de ce malheur doivent se trouver ailleurs, bien au cœur de l'homme, et il doit les transporter avec lui, quels que soient les structures sociales, les cataclysmes historiques ou les développements culturels.

Le présent ouvrage se propose un double objectif. D'abord, arriver à une explication vraiment satisfaisante de la présence des phénomènes de malheur au creux de la vie des hommes. Le deuxième objectif consistera à examiner des manières précises de minimiser cette masse de souffrance qui accable l'être humain. Est-ce dire que ce livre promet de révéler au lecteur la clef du bonheur? Ses objectifs sont plus modestes. Je suis intimement convaincu qu'un être humain, du moins dans sa condition présente, ne saurait être parfaitement heureux (non plus que parfaitement malheureux), la perfection n'étant possible dans aucun domaine. Si ce livre pouvait permettre à ses lecteurs de découvrir la manière dont ils se rendent eux-mêmes malheureux et leur apprendre à se rendre eux-mêmes moins malheureux, je considérerais mes objectifs comme largement atteints.

Un mot d'avertissement. L'analyse qui va suivre et la méthode qui l'accompagne ne sont pas, à mon avis, difficiles à comprendre. À la différence de beaucoup d'autres explications proposées au problème des malheurs de l'humanité, cette analyse et cette méthode se caractérisent par leur simplicité et leur netteté, ce qui les rend accessibles à la très grande majorité des êtres humains. Cependant, la méthode que je propose au lecteur pour diminuer ou même faire disparaître ses troubles émotifs, demande de sa part un travail acharné, rigoureux, prolongé et tenace. Qu'on ne s'y trompe donc pas: il n'est pas question ici de cure miracle, d'une méthode qui ne demanderait que des efforts dispersés ou momentanés. Il ne suffit pas de pousser quelques hurlements, même viscéraux, de donner des coups de poing dans un oreiller, de se tenir la main en se regardant dans les yeux ou de se répéter: «Chaque jour, et de plus en plus, je m'améliore», pour devenir et rester mieux. La plupart des méthodes qui promettent des résultats rapides et durables sans faire appel à l'énergie profonde de l'être humain ne réussissent qu'à le faire se sentir mieux pendant quelque temps, sans pour autant lui fournir les moyens d'être mieux. Que le lecteur s'attende donc à ce qu'on fasse appel à son énergie et à son courage, qu'on lui propose un travail simple, mais, la plupart du temps, ardu. Le bonheur, même le bonheur tout relatif auquel peut prétendre un être humain, ne s'acquiert pas sans un investissement considérable et prolongé d'énergie intérieure.

Les idées présentées dans ce volume sont largement inspirées de celles exposées par le psychothérapeute américain Albert Ellis. Il est l'auteur d'une forme de psychothérapie connue sous le nom de *psychothérapie rationnelle émotive (Rational-Emotive Therapy)*, qu'il a exposée dans de nombreux livres et articles scientifiques.

Ellis lui-même se reconnaissait tributaire d'une pensée beaucoup plus ancienne, bien antérieure à celle de Freud, de Jung, d'Adler ou des autres analystes modernes. Il s'agit de la pensée de l'école de philosophie connue sous le nom de stoïcisme, fondée par Zénon de Citium (336-264 av. J.-C.). La pensée stoïcienne a été exposée dans les quelques écrits qui nous restent d'Épictète et de Marc Aurèle (Ier siècle ap. J.-C.). L'analyse et la méthode qui vont suivre se réclament donc d'une tradition plusieurs fois séculaire. Il n'en faudrait pas plus pour démontrer que la seule connaissance des causes de ses malheurs et la seule connaissance des moyens de s'en sortir ne permettent pas automatiquement à un être humain de se guérir lui-même.

Il me reste à remercier tous ceux qui m'ont aidé directement ou indirectement à écrire ce livre. Parmi eux prennent place le grand nombre de personnes qui m'ont fait la confiance de s'adresser à moi dans leur période de troubles et de malheur. C'est grâce à elles que j'ai pu vérifier concrètement l'exactitude de l'analyse et l'efficacité de la méthode thérapeutique que je présente ici. Je remercie aussi mes collègues du Service de consultations personnelles au Centre interdisciplinaire de Montréal dont l'esprit critique et les discussions m'ont grandement aidé à affiner le contenu de mes idées. Mon collègue, Jean-Marie Aubry, a accepté de relire l'ensemble de ce travail et de formuler ses observations. Mes remerciements enfin à ma secrétaire, Micheline Rankin, chez qui la bonne humeur ne s'est pas démentie au cours des nombreuses heures de rédaction, de correction et de relecture du manuscrit de ce livre.

CHAPITRE I

DÉCOUVRIR LES ÉMOTIONS

Vous êtes assis au bord d'un lac par une belle soirée d'été à regarder le soleil s'enfoncer lentement au-delà des montagnes. Une douce brise caresse la surface des eaux ; vous vous sentez en paix avec vous-même et avec l'Univers. Soudain, votre voisin fait bruyamment démarrer son canot à moteur. Le tapage de la machine rompt instantanément le charme. Vous vous sentez agacé, un peu en colère contre ce stupide voisin, incapable d'apprécier comme vous le calme de la chute du jour. Le bruit s'éloigne et tout redevient calme. À ce moment, la pensée vous vient que vos vacances s'achèvent et qu'il vous faudra bientôt reprendre le chemin de la ville et le travail. Vous vous voyez de nouveau vous levant tôt le matin, avalant à toute vitesse un café pour sauter dans un autobus bondé. Vous voilà un peu attristé, vaguement nerveux, rempli de regrets. Et soudain, vous vous souvenez qu'en rentrant au bureau, un travail difficile et ennuyeux vous attend : il va falloir procéder à l'inventaire annuel et à l'établissement des états financiers qui, vous le redoutez, vous révéleront une importante baisse de vos revenus. Ça y est, la soirée est gâchée ; vous commencez à vous sentir inquiet, angoissé même. Le calme du soir ne vous charme plus ; vous vous sentez agité, vous avez envie de bouger, de faire quelque chose. Vous vous levez et rentrez au chalet.

Arrêtons là cette séquence qui pourrait continuer indéfiniment. Vous avez connu au cours de ces quelques minutes une série d'états intérieurs, allant de la paix à l'anxiété, en passant par l'agacement et la tristesse ; ces états intérieurs, ce sont des émotions.

Essayons de comprendre en quoi consistent ces émotions, quasiment toujours présentes en nous, et qui tissent la trame du bonheur et du malheur dans nos vies.

Nous le savons, certaines émotions sont agréables, alors que d'autres sont désagréables. Autant il est avantageux pour un être humain de ressentir la paix, la joie, le calme et la gaieté, autant il peut se passer de ressentir l'anxiété, la tristesse et la colère. Quand nous parlerons dans ce livre de l'avantage qu'il y a à contrôler ses émotions, il ne sera question que des émotions désagréables. Notre objectif n'est pas d'arriver à produire un être dénué de toute émotion, ce qui serait, selon toute vraisemblance, non seulement impossible, mais désastreux. Au contraire, nous rechercherons des moyens de *diminuer* ou de faire disparaître les émotions désagréables et d'*augmenter* ou de favoriser les émotions agréables.

Reconnaissons ensuite que la cause des émotions est habituellement multiple. On peut décrire une triple source des états émotifs. Une première source réside dans la stimulation directement physique d'une partie quelconque de l'organisme. Ainsi, vous recevez à l'hôpital une injection de morphine. Vous vous sentez bientôt heureux, euphorique, délivré de tout souci. Ou bien, une main tendre vous caresse la nuque. Vous vous sentez agréablement détendu, heureux, à l'aise.

Un deuxième canal est constitué par vos processus sensorimoteurs : vos perceptions sensorielles et l'activité de votre organisme. Ainsi, dans l'exemple de tout à l'heure, la vue du lac calme entraîne la présence de sentiments agréables, alors que le bruit du moteur provoque des sentiments négatifs.

La troisième source consiste dans la pensée et le désir : quand vous avez *pensé* au bilan annuel, vous vous êtes senti anxieux et agité.

Si l'on peut distinguer les trois sources, on ne peut que rarement les séparer : elles contribuent d'ordinaire de façon quasi simultanée à la production de nos états émotifs. Il s'ensuit que si quelqu'un désire arriver à contrôler ses émotions désagréables, il peut s'y prendre de trois manières principales. En premier lieu, il peut utiliser des moyens physiques (par exemple chimiques) pour contrôler son organisme. Il ne manque pas de drogues de tous genres, les unes destinées à calmer, les autres à produire des effets antidépressifs ; il ne manque pas non plus de médecins tout prêts à prescrire sans hésiter des cocktails pharmaceutiques assez étonnants. On peut aussi utiliser d'autres drogues plus accessibles comme l'alcool.

En deuxième lieu, notre homme peut arriver à un certain contrôle de ses émotions en agissant sur son système sensorimoteur. Ainsi, il peut faire des exercices de relaxation, apprendre à détendre ses muscles, faire de l'expression corporelle rythmique, de la boxe chinoise, du yoga, du *training* autogène (Schultz et Luthe).

En troisième lieu, il peut s'efforcer de modifier ses pensées — exprimées le plus souvent sous forme de *phrases intérieures* —, consacrer ses efforts à vérifier leur correspondance au réel et à les modifier lorsqu'elles ne s'accordent pas avec le réel.

C'est sur cette troisième méthode que nous allons insister dans le présent ouvrage, surtout parce que les autres méthodes ne produisent ordinairement que des effets transitoires. Dès que cesse l'effet du médicament ou que sont interrompus les exercices physiques, l'anxiété a tendance à revenir. Dans la plupart des cas, pour changer profondément des états émotifs désagréables — comme la dépression —, la personne devra modifier sa pensée, sa philosophie de la vie, évacuer de son esprit les pensées irréalistes et les remplacer par des pensées plus étroitement reliées au réel.

La très grande majorité des gens croient dur comme fer que leurs émotions sont *causées* par les événements extérieurs, par les stimuli qu'ils reçoivent de leur entourage. Ainsi, si Jean Lamothe rentre à la maison après une dure journée de travail et que sa femme place devant lui des spaghettis brûlés, il fait une grande colère, crie qu'il en a assez de cette cuisine infecte, et quitte la table avec un bon mal d'estomac. Si l'on demande à M. Lamothe pourquoi il s'est fâché, il répondra presque certainement que les spaghettis brûlés en sont la cause. Pourtant, revoyons le même Jean Lamothe deux semaines plus tard. Il a reçu ce jour-là la nouvelle que son salaire était augmenté de vingt pour cent ; son patron l'a félicité. Il rentre à la maison et se retrouve devant les mêmes spaghettis brûlés. Mais cette fois-ci, il badine, taquine sa femme, mange les spaghettis sans rechigner et quitte la table avec un agréable sentiment de plénitude. Demandons-lui pourquoi il ne s'est pas fâché cette fois-ci. Si les spaghettis brûlés étaient la cause de sa colère, en toute logique, il aurait dû se mettre encore en colère : des causes identiques devraient produire des effets identiques. « Mais, me direz-vous, les circonstances sont différentes. M. Lamothe n'accepte pas les spaghettis brûlés toujours de la même façon. Parfois, il s'en fait beaucoup à ce propos, parfois il ne s'en fait pas. Tout dépend de la manière dont il perçoit ces spaghettis. »

Je suis tout à fait d'accord. J'en conclus que les spaghettis brûlés ne sauraient être la *cause* de la colère de Jean Lamothe et que, lorsqu'il dit qu'il se fâche *parce que* Mme Lamothe lui sert ce plat, *il se trompe.*

C'est la manière dont monsieur *perçoit* les spaghettis qui est la cause de sa colère. Plus précisément, ce sont les *phrases* qu'il se dit intérieurement qui provoquent son état émotif. Examinons ce qui se passe dans son esprit la première fois. N'est-il pas en train de se dire des phrases comme celles-ci : « Encore ces maudits spaghettis ! C'en est trop ! Un homme a le droit de bien manger après une dure journée de travail. Ma femme est nulle comme cuisinière. Je ne peux pas supporter sa cuisine ! » Et le voilà furieux.

Que se passe-t-il la deuxième fois ? Les spaghettis sont toujours aussi brûlés. Mais cette fois-ci, notre homme est sans doute en train de se dire intérieurement des phrases comme celles-ci : « Ce n'est pas très bon, mais ce n'est pas très important après tout. Elle a raté ce plat, c'est vrai, mais je peux bien le supporter ; des spaghettis brûlés ne sont pas la fin du monde. » En conséquence, il reste calme, détendu, enjoué, habité d'émotions agréables.

Nous pouvons donc conclure de cet exemple que les spaghettis brûlés ne peuvent pas être la *cause* des états émotifs de M. Lamothe, mais tout au plus l'*occasion* de ces états. La vraie cause, nous la trouverons dans ces phrases intérieures qu'il se répète et qui expriment sa perception, sa vision, son évaluation de la situation.

Cette théorie peut sembler étrange au premier abord, tant nous sommes habitués à attribuer aux choses et aux autres la cause de nos émotions. Pourtant elle est très facile à vérifier.

Prenons un autre exemple. Vous êtes dans le métro, patiemment accroché à la barre de soutien. Vous recevez soudain une violente poussée dans le dos. Furieux, vous vous retournez pour dire ce qui en est à ce malappris qui n'a aucun égard pour la plus élémentaire courtoisie. Au moment où vous allez éclater, vous vous apercevez que votre agresseur est aveugle. Vos sentiments de colère se changent presque tout de suite en sentiments de pitié, de compassion pour ce malheureux dont le geste est évidemment dû à son infirmité. Votre évaluation de la situation ayant changé, vos émotions changent aussi. Pourtant le stimulus est le même : vous avez été bousculé avec violence. Encore une fois, ce n'est donc pas la poussée qui vous a irrité, mais c'est *vous* qui vous êtes irrité à l'occasion de cette poussée, l'évaluant comme un geste d'agression. Quand vous l'avez interprétée différemment, vos émotions ont changé du tout au tout. Dans le premier cas, vous vous êtes dit quelque chose comme : « Quel abruti ! » – ce qui a produit votre colère. Tout de suite après, vous vous êtes dit : « Pauvre diable ! » – ce qui a *produit* votre compassion.

Mais n'est-il pas possible que l'émotion naisse sans l'intervention de la pensée ? N'y a-t-il pas des cas où tout se passe si vite que la pensée est absente ? C'est bien possible. Ainsi vous traversez la rue et un camion fonce sur vous à toute allure. Vous ressentez presque instantanément de la peur. Ou bien vous écoutez une douce musique et vous vous sentez agréablement détendu. Peut-être cependant votre pensée intervient-elle une fraction de seconde juste avant que vous ressentiez l'émotion et que vous vous disiez « Quelle horreur ! » ou « Quelle belle musique ! ». Quoi qu'il en soit, si votre émotion persiste après le passage du camion, il est très probable que cela soit dû au fait que vous continuez à penser des phrases comme : « C'est effrayant ! J'aurais pu être tué ! C'est terrible ! »

Ou bien, si vous vous sentez heureux longtemps après qu'on vous a annoncé une bonne nouvelle – par exemple vous avez réussi un examen difficile –, cela découle presque sûrement de ce que vous continuez à penser intérieurement des phrases comme : « Quelle bonne affaire ! Je m'en suis bien tiré ! Comme je suis heureux ! »

Nous avons parlé plusieurs fois jusqu'ici des phrases intérieures que nous nous répétons presque sans arrêt. C'est là un phénomène que chacun peut observer dans sa propre vie. Notre esprit n'est presque jamais au repos. L'être humain apprend très tôt à formuler en lui-même ses états émotifs par des mots, des phrases, des exclamations intérieures. Pour vous en convaincre, faites une promenade seul. Vous constaterez que vous êtes engagé dans un monologue intérieur presque ininterrompu, que vous commentez en vous-même ce que vous voyez ou que vous vous parlez à propos de ce qui vous préoccupe. Parfois même le phénomène sera assez puissant pour que vous vous surpreniez à parler tout haut. Combien de gens se parlent ainsi tout haut quand ils sont seuls dans leur voiture, invectivant les autres conducteurs !

Ces phrases intérieures que nous nous répétons sont donc souvent la cause directe des émotions que nous ressentons ou, du moins, elles sont associées aux états émotifs que nous éprouvons, venant les intensifier et les prolonger.

Imaginons un étudiant qui va se présenter à un important examen oral. Avant l'examen, il est fort possible qu'il se parle intérieurement un peu comme suit : « Je me demande bien si je vais réussir l'examen... J'aimerais mieux ne pas avoir à passer cet examen, car je vais peut-être le rater... Cependant, si je ne me présente pas, je perds tout. Le pire qui puisse arriver, c'est que j'essuie un échec... Il vaut mieux que je me présente, car alors j'ai au moins une chance de réussir. »

Voilà des pensées, sous forme de phrases intérieures, susceptibles d'habiter l'esprit du candidat. Cependant, si nous avons affaire à un candidat hésitant et anxieux d'avance, il pourra bien se tenir un autre langage : « Si je rate l'examen, ça va être *affreux*. Tout le monde va rire de moi et je ne *pourrai pas le supporter ! J'aurai la preuve que je ne vaux rien !* »

Il est facile de constater comment, en se parlant ainsi à lui-même, ce deuxième candidat amplifie grandement son appréhension normale, peut-être jusqu'à la transformer en anxiété, ce qui risque de diminuer de façon temporaire ses capacités de réflexion et de jugement et de rendre ainsi, paradoxalement, plus probable l'échec que précisément il redoute.

Un troisième candidat, plus porté à voir les choses de façon optimiste, pourrait se dire : « Je vais me présenter à l'examen et il y a de bonnes chances que je réussisse. Si je réussis, ça va être formidable. J'aurai enfin décroché mon diplôme. Tout le monde va me fêter et me féliciter. *Quelle bonne affaire !* »

On voit encore comment la présence de pensées positives et optimistes dans l'esprit de ce candidat est de nature à lui procurer des émotions agréables.

En fin de compte, la *pensée* et l'*émotion* ne sont presque pas distinguables. Mais si je veux changer mes émotions, me débarrasser, par exemple, des émotions désagréables comme la tristesse, les sentiments dépressifs ou la colère, il vaudra mieux que je m'attache à changer les pensées qui les causent plutôt que de tenter de réprimer ou de contrôler mes émotions elles-mêmes. Il n'est pas très sain psychologiquement de tenter de faire disparaître une émotion en la niant ; par exemple, si je suis en colère, je ne réussirai qu'à me donner un ulcère en tentant de me convaincre que je ne suis pas en colère. Ou si je suis inquiet, il ne me sert à rien de me répéter à moi-même que tout ira bien, que je n'ai pas de raison de m'en faire, en d'autres mots, de tenter de nier mon inquiétude.

Certains sont d'avis qu'un bon moyen de pallier les inconvénients des émotions négatives consiste à les exprimer pleinement, avec force. « Ainsi, vous dira-t-on, si vous êtes en colère, ne tentez pas de vous maîtriser. Criez un peu, fracassez quelques objets, donnez des coups de pied dans des coussins. Cela fera sortir la vapeur et vous vous sentirez vite mieux. » Je veux bien que l'expression de l'hostilité fasse diminuer la pression intérieure qui accompagne ce sentiment, encore que je ferais attention à ce que l'expression de mon hostilité ne m'attire pas celle de mon entourage, ce qui me compliquerait l'existence par la suite. Le principal inconvénient de cette méthode réside dans son caractère transitoire et purement palliatif. Il vaut beaucoup mieux, à mon avis, remonter à la source de l'hostilité et s'attaquer à cette cause. Les résultats obtenus seront en général moins rapides et moins spectaculaires, mais par contre plus durables et plus profonds. Supposons que vous avez au bras un abcès purulent qui vous fait souffrir comme tous les diables. Vous vous adressez au médecin. Si celui-ci crève l'abcès d'un coup de lancette, vous ressentirez un soulagement immédiat; le pus s'écoulera et vous vous sentirez mieux. Mais si l'intervention du médecin se borne à cela, n'est-il pas probable que, la cause de l'infection n'étant pas attaquée, l'abcès se reforme et que le cycle recommence? Ainsi, la seule ventilation des sentiments et leur expression directe, bien qu'elle procure un soulagement temporaire, ne saurait à elle seule vous «guérir» vraiment.

D'autre part, comme la source des émotions ne se trouve pas dans les événements ou les personnes extérieures, mais bien dans les idées que nous nous exprimons à propos de ces événements et de ces personnes, c'est à ces idées, formulées dans notre langage intérieur, qu'il conviendra de s'attaquer pour arriver à contrôler efficacement les émotions désagréables. Un schéma aidera à comprendre ce point capital.

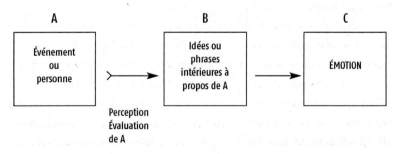

Ainsi, dans ce schéma, l'événement ou la personne en *A* n'est pas la cause de l'émotion en *C*, comme la plupart des gens seraient portés à le croire. La cause directe de *C* se trouve en *B*, c'est-à-dire dans les idées que se forme le sujet à propos de *A*, idées elles-mêmes engendrées par la perception et le jugement évaluatif (« C'est bon » ou « C'est mauvais ») qu'il porte sur *A*. Ainsi, si je veux changer *C*, c'est à *B* qu'il faut m'en prendre, et non pas à *A*.

« Mais alors, direz-vous, chacun de nous est responsable de ses états émotifs ! » Bien sûr, en grande partie. Ce qui, paradoxalement, est une excellente affaire. En effet, si je suis la cause principale de mes propres états émotifs, il me reste la possibilité de les changer, puisque, en m'exerçant et en y consacrant des efforts appropriés, je puis arriver à modifier les phrases intérieures qui leur donnent naissance. Je puis au moins, dans la plupart des cas, acquérir un certain contrôle sur ces phrases intérieures. Il n'en est pas ainsi à propos du monde extérieur et des autres. J'ai très peu de contrôle sur le monde physique et *pas du tout* sur les idées des autres. Ma situation serait donc tragique s'il me fallait conclure que mes émotions sont directement engendrées par tout ce qui m'est extérieur. Je me retrouverais sans défense, véritable pantin agité par des émotions diverses, tantôt riant, tantôt pleurant, sans que je puisse en aucune manière contrôler mon destin émotif. Par exemple, si un être humain me signifie clairement qu'il me trouve stupide et qu'alors je me sente déprimé, il est fort heureux que mes sentiments dépressifs ne soient causés que *par moi*, par l'opinion que j'ai de l'importance de cet avis. Si, au contraire, mes sentiments dépressifs sont causés directement par l'opinion de l'autre, je suis contraint d'être malheureux tant que je n'ai pas réussi à le faire changer d'avis. Je me vois astreint à la rude besogne d'opérer ce changement en lui, et comme je ne possède pas de moyen de contrôle sur son opinion à mon égard et que, quoi que je fasse, il peut toujours me trouver stupide s'il le veut, ma situation est assez désespérante.

Heureusement, il n'en est pas ainsi. Si je suis malheureux à la suite de son jugement, la cause de ma dépression est *en moi*; elle réside dans l'importance que j'attache à cet avis, dans le fait que je me redis : « Alphonse me trouve stupide… c'est *affreux*… c'est *injuste*… *Il faut qu'il me trouve intelligent*… S'il me trouve stupide, je le suis peut-être, et *cela je ne peux pas le supporter* », toutes phrases dont je pourrai, si je les analyse soigneusement et les confronte à la réalité, arriver à me débarrasser et ainsi à faire disparaître les sentiments dépressifs qui en découlent.

Est-ce à dire que, par la pensée, je pourrai arriver à me libérer de toutes mes émotions désagréables ? Non pas. Nous vivons dans un monde très imparfait et bon nombre des émotions désagréables que je ressentirai toute ma vie seront à la mesure de la dure réalité de l'univers où nous sommes insérés. Nous vivons dans un monde où des bébés naissent difformes, où des hommes s'entretuent, où des fléaux naturels font des ravages : incendies, inondations, et le reste. Nous vivons dans un monde peuplé d'hommes dont l'intelligence et le jugement sont fort limités et qui commettent toute leur vie bêtise sur bêtise. Il est très facile d'imaginer un monde meilleur, mais il faut reconnaître qu'en très grande partie, les aspects les plus désagréables de cet univers échappent à notre contrôle. Il reste que si je me sers de ma raison d'une façon appropriée, je puis diminuer notablement le nombre et l'intensité de mes sentiments négatifs inappropriés. Il ne s'agit pas, redisons-le, de devenir impassible, d'en arriver à une atonie émotive où on ne ressentirait plus rien. Quel plaisir resterait-il alors à vivre ? Que vaudrait une vie où on ne pourrait plus pleurer de joie, une vie où on ne pourrait plus aimer, une vie où on ne pourrait pas ressentir jusqu'au plus profond de soi-même le bonheur de contribuer au bonheur d'un autre ? Mais chacun peut fort bien se passer de ressentir de l'anxiété profonde, de l'angoisse, de la dépression accentuée, de la culpabilité, du désespoir, des sentiments d'infériorité, tous sentiments désagréables et, la plupart du temps, inappropriés. Ainsi, si nous ne pouvons espérer de façon raisonnable être jamais parfaitement heureux, nous pouvons du moins aspirer à l'être le plus possible, ou, si l'on veut, à être le moins malheureux possible. C'est là le but de ce volume : maximiser les émotions positives appropriées et minimiser les émotions négatives inappropriées. Dans les chapitres qui suivent, nous tenterons d'explorer des moyens spécifiques de s'y prendre pour atteindre cet objectif.

CHAPITRE II

LES IDÉES IRRÉALISTES
ET LA CONFRONTATION

Dans le chapitre précédent, j'ai examiné les causes principales des troubles émotifs en m'attachant surtout à décrire le rôle que jouent dans leur naissance les perceptions, les évaluations, les idées que nous nous faisons des choses. J'en ai conclu qu'une des manières les plus efficaces de nous débarrasser de ces troubles émotifs, ou, du moins, de les diminuer consiste à s'attaquer aux idées déraisonnables et irréalistes qui les sous-tendent.

Dans ce chapitre, j'examinerai concrètement comment chacun de nous peut s'y prendre pour engager le combat contre ces idées et leur faire lâcher prise.

La consultante dont je vais vous parler, et que nous appellerons Colette, était une célibataire (aujourd'hui, elle est heureusement mariée et mère d'un magnifique garçon). À l'époque, elle avait vingt-six ans.

Semaine après semaine, elle se présentait à mon bureau avec un air de chien battu et s'effondrait dans son fauteuil avec un grand soupir. J'avais beau essayer de la convaincre par tous les moyens auxquels je pouvais penser qu'il lui était possible de retrouver le contrôle de sa vie, rien n'y faisait.

« Je comprends ce que vous expliquez, disait-elle, mais quand j'en viens à l'appliquer dans ma vie quotidienne, ça ne marche plus.

— Comment, ça ne marche plus ?

— Eh non ! En théorie, toute votre histoire des idées déraisonnables, causes de mes émotions négatives, je la comprends, et ça a bien du bon sens. Mais dans la pratique, ça ne fonctionne pas.

— Il doit y avoir quelque chose que tu n'as pas encore compris complètement. Prenons donc un exemple de ta dernière semaine, un événement à propos duquel tu t'es sentie troublée, malheureuse, inquiète… »

Elle réfléchit un instant. Comme elle se sentait malheureuse presque continuellement, je comprenais qu'elle puisse avoir de la difficulté à choisir un événement parmi tant d'autres.

« Voici, dit-elle enfin. Mardi soir dernier, Jean-Pierre m'a téléphoné. J'étais toute seule dans mon appartement et je m'ennuyais à en crier. Il m'a annoncé qu'il ne pourrait pas sortir avec moi samedi, comme il me l'avait promis, parce qu'il devait préparer un examen de mathématiques. J'en ai pleuré tout le reste de la soirée. Je vois bien qu'il ne m'aime pas. Je parie que cette histoire d'examen n'est même pas vraie, qu'il sort avec une autre fille. C'est toujours moi qu'on laisse de côté à la première occasion. Je ne vaux vraiment rien. Il n'y a jamais un garçon qui pourra s'intéresser à moi. Je suis tellement sotte et stupide : ils ont bien raison de me fuir aussitôt qu'ils me connaissent comme je suis… »

Et sur ce, elle se mit à sangloter abondamment. Je laissai passer l'orage.

« Et quelle est la cause de tout ce désespoir, et de toutes ces larmes ? demandai-je alors.

— Ne comprenez-vous rien? Ne voyez-vous pas que c'est Jean-Pierre, avec ses fausses promesses? C'est évident pour tout le monde.

— Évident pour tout le monde peut-être, mais pas pour moi, en tout cas.»

Elle me regarda d'un air soupçonneux.

«Vous n'allez tout de même pas dire que c'est moi qui me suis fait de la peine! En d'autres occasions, c'est vrai que c'est moi, mais pas dans le cas présent. C'est lui qui me méprise et qui me fait de la peine.

— Tu m'enlèves les mots de la bouche. J'allais justement dire que tu avais été très habile à te faire de la peine et à te déprimer à cette occasion. Examinons ce qui s'est passé dans ta tête quand Jean-Pierre t'a annoncé qu'il ne sortirait pas avec toi samedi.

— Il ne s'est rien passé. Je me suis juste mise à pleurer et j'ai raccroché.

— Voyons, Colette! Cela est très peu probable. Tu as dû te dire quelque chose dans ta tête, même si cela a été très rapide, presque instantané.»

Après un moment de réflexion, elle reprit.

«Je me suis dit : "C'est trop injuste, ça m'arrive toujours à moi. J'en ai la preuve encore une fois, lui non plus ne m'aime pas."»

Et les larmes de recommencer à couler.

«Un instant, Colette, sèche tes larmes et regardons ce qui s'est passé. La voilà, la cause de ta tristesse et de ta dépression : le téléphone de Jean-Pierre a été l'occasion pour toi de te redire un tas de choses grâce auxquelles tu t'es déprimée toi-même, tu t'es payé un cocktail de sentiments dépressifs.»

Je tentai alors de lui montrer encore une fois comment s'y prendre pour *confronter* les phrases qu'elle s'était dites.

La *confrontation* n'a rien de très mystérieux. C'est fondamentalement une démarche de *comparaison*. Il s'agit pour chacun de prendre les phrases qu'il se dit à propos de n'importe quel événement et de vérifier avec attention leur exactitude, de les comparer au *réel*, d'examiner si elles décrivent exactement la réalité. Si l'on constate que ces phrases intérieures ne correspondent pas au réel, il reste à les expulser et à les remplacer par des phrases plus exactes, s'adaptant plus fidèlement au monde *tel qu'il est* (et non pas tel qu'on souhaiterait qu'il soit de manière infantile).

« Prenons ta première phrase. Tu t'es dit : "C'est trop injuste." Eh bien ! je te le demande, qui dit que cela est *trop* injuste ? Où est la preuve dans le réel que cela est *trop* injuste ?

— Ça ne se prouve pas, ces choses-là. C'est comme ça pour moi.

— Si cela ne se prouve pas, comme tu dis, pourquoi le crois-tu ? Vas-tu me dire que *c'est* trop injuste parce que tu l'affirmes ?

— Oui, c'est trop injuste parce que je le dis, parce que je le vois comme ça.

— Mais allons donc, Colette ! Une chose ne devient pas nécessairement vraie parce que tu affirmes qu'elle l'est. La neige reste blanche même si tu dis qu'elle est rouge. Le fer reste dur même si tu dis qu'il est mou. Une chose ne devient pas nécessairement injuste tout simplement parce que tu dis qu'elle l'est ! Ça n'a pas de bon sens ! Une définition n'a jamais rien prouvé.

— Mais alors, qu'est-ce que c'est ?

— Pour que le refus de Jean-Pierre de sortir avec toi samedi soir soit injuste, il faudrait qu'il n'ait pas eu le *droit* de refuser. Eh bien ! avait-il le droit ou non ?

— Évidemment ! Il a le droit de faire ce qu'il veut, et que le diable l'emporte ! Je ne veux plus jamais entendre parler de lui !

— Un instant ! Ne nous égarons pas… »

Colette employait ici une manœuvre classique. Se sentant acculée de plus en plus étroitement, elle recourait aux invectives, aux injures, pour changer le sujet de conversation. Je ne la laissai pas s'échapper aussi facilement. Une confrontation est une démarche de précision et de netteté, et il n'est pas opportun de s'en laisser distraire par des considérations accessoires.

« Ainsi, tu reconnais qu'il avait parfaitement le droit de refuser de sortir avec toi samedi soir. Pourquoi dis-tu alors que son refus est injuste ? Tu es en train d'affirmer à toi-même une chose qui est fausse, une idée irréaliste au moyen de laquelle tu te payes une mini-dépression. Qu'aurais-tu pu te dire qui aurait été plus exact que cette phrase ?

— Eh bien ! je suppose que j'aurais pu me dire : "C'est dommage, mais il a le droit de faire ce qu'il veut."

— Exactement ! "Bien dommage… Je n'aime pas ça qu'il refuse de sortir avec moi, mais il en a bien le droit. Les autres ne sont pas obligés de me plaire." Comment te serais-tu *sentie* si tu t'étais dit cette deuxième phrase plutôt que la première ?

— Probablement triste, mais bien moins dépressive.

— Je pense que tu as tout à fait raison. Il semble très réaliste de penser que tu te serais sentie triste, désappointée, frustrée, mais beaucoup moins dépressive. Pourtant, cette seconde phrase n'est pas plus belle, plus gentille, plus aimable que la première, ni plus encourageante, positive ou optimiste, elle est simplement plus *vraie*. Examinons le reste de ta phrase, tu disais : "Ça m'arrive toujours à moi." Est-ce *vrai*, Colette ?

— Non, ce n'est pas exact ! Ça m'arrive souvent, mais pas toujours.

— Souvent ? Qu'est-ce que ça veut dire : *souvent* ? Une fois par jour ? par semaine ? par mois ?

— Je ne sais pas… une fois de temps en temps. Je ne compte pas les fois, vous pensez bien!

— Mais alors, pourquoi t'affirmer que cela arrive souvent? Qu'est-ce que tu pourrais te dire et qui colle le plus étroitement possible à la réalité?

— Je pourrais dire: "Ça m'arrive une fois de temps en temps." Cela serait plus exact… Et je vous vois venir… C'est vrai que je *me* serais sentie moins dépitée si je m'étais dit cela. »

Colette souriait presque. Elle constatait de plus en plus clairement combien elle s'était rendue malheureuse en acceptant des idées qui ne résistaient pas à une analyse serrée et au choc de la confrontation avec le réel.

« Et maintenant, la troisième partie de ta phrase: "J'en ai la preuve encore une fois, lui non plus ne m'aime pas." Comment ce refus peut-il *prouver* hors de tout doute que Jean-Pierre ne t'aime pas?

— Ça ne prouve rien, mais j'en ai tellement l'impression que, pour moi, c'est vrai, pour moi, c'est ça la réalité.

— Colette, c'est de la bouillie pour les chats. Il n'existe pas quarante réalités. Il existe d'innombrables manières de voir, de percevoir la même réalité, mais cette réalité ne change pas, même si nous la percevons de travers. Le réel est le réel. Ne va pas te raconter que tu as ton réel à toi! Ainsi, le refus de Jean-Pierre ne prouve pas qu'il ne t'aime pas. Il ne prouve pas non plus qu'il t'aime. En fait, peux-tu avoir une seule *preuve* certaine que Jean-Pierre ou n'importe qui t'aime?

— C'est difficile à prouver, mais il me semble que s'il avait accepté de sortir avec moi, ça m'aurait au moins donné un signe qu'il s'intéresse à moi.

— Pas nécessairement… Il aurait pu accepter par lassitude, par ennui, parce qu'il n'avait rien de mieux à faire ce soir-là ou encore pour bien d'autres raisons qui n'ont rien à voir avec l'amour.

— Mais alors, je ne pourrai jamais être certaine qu'il m'aime?

— Non, en effet, tu n'en seras jamais complètement certaine, tu n'en auras jamais la preuve absolue. Pas plus de ça que de quoi que ce soit d'autre, d'ailleurs. Si tu exiges des certitudes, des assurances absolues, tu es mieux de déménager sur une autre planète. Tu t'es égarée sur Terre, car ici, il n'y a pas de certitudes absolues. La seule chose qui est vraiment certaine, c'est que rien n'est certain.»

Colette garda le silence pendant un bon bout de temps. Elle réfléchissait tranquillement. Son visage exprimait la concentration et la préoccupation, mais certainement pas la détresse ni la dépression.

«Je vois mieux comment je m'y prends pour me compliquer la vie, finit-elle par dire. Si Jean-Pierre a décidé de refuser de sortir avec moi, c'est dommage. J'aurais préféré que nous passions la soirée ensemble, mais il a bien le droit de prendre les décisions qu'il veut, tout comme moi d'ailleurs. Son refus n'est pas injuste, mais seulement désagréable. J'essuie des refus comme cela de temps à autre, mais ils ne prouvent pas qu'il ne m'aime pas. Et même si j'en venais à la conclusion qu'il ne m'aime pas, cela ne prouverait pas que je ne vaux rien. Cela prouverait seulement qu'il préfère quelqu'un d'autre, mais cela n'enlèverait rien à ma valeur en tant que personne.

— Voilà, Colette! Tu en es rendue à confronter toi-même tes idées irréalistes. Ce que tu viens de dire m'apparaît tout à fait exact. Si tu pensais ainsi et si tu te parlais ainsi quand des événements désagréables arrivent dans ta vie, tu t'épargnerais beaucoup de chagrins et de moments de dépression inutiles.

— Vous avez raison, cher professeur! Mais ce n'est pas facile de réagir raisonnablement quand les tracas vous tombent sur la tête.

— Je suis bien d'accord avec toi. Ce n'est sûrement pas facile, mais le contraire est-il plus facile, plus agréable? Est-il finalement plus agréable pour toi de te laisser emporter par tes idées irréalistes?

— Non, c'est sûr. J'ai passé la soirée à pleurer et encore aujourd'hui, je n'étais pas de bien belle humeur!

— Eh bien, ne vaut-il pas la peine de faire l'effort de confronter le plus tôt possible ces bonnes vieilles idées folles pour te débarrasser au plus vite de tous les troubles émotifs qu'elles t'apportent? D'autant plus que si tu t'habitues à les confronter rapidement, cela deviendra de plus en plus facile. Tu en viendras à le faire d'une façon presque spontanée et alors peu de choses te troubleront longuement et fortement.»

Au cours des entrevues qui suivirent, Colette continua à apprendre elle-même à confronter de plus en plus rapidement et efficacement ses pensées irréalistes. Comme je le fais à maintes reprises en thérapie, je lui suggérai de mettre par écrit quelques-unes de ces confrontations, surtout dans les moments où elle se sentait particulièrement troublée. Quelques mois plus tard, elle était devenue une jeune fille qui ne se troublait plus que rarement. Elle avait retrouvé une grande partie de sa confiance en elle-même; cela n'avait pas été sans efforts ardus, répétés et constants de sa part. Bien sûr, elle avait connu un certain nombre de défaillances, mais elle avait appris à relativiser même ces échecs partiels et à se garder de les transformer en catastrophes. Éventuellement, elle rencontra Claude. Nous nous sommes revus quelques fois depuis son mariage et la naissance du petit Paul. Colette ne vit pas le bonheur parfait, puisque cela n'existe pas. Mais elle n'est presque plus troublée profondément. Quand elle commence à se sentir trop agitée, elle tire de l'armoire son vieux cahier, souvenir de sa thérapie, et effectue une ou deux bonnes confrontations. Mais il est rare maintenant qu'elle ait à recourir à ce moyen. Elle s'est habituée à se parler de façon réaliste.

Cet exemple illustre bien la méthode que propose le présent livre. Comme on peut le constater, cette méthode est très simple, tout en exigeant de celui qui s'y engage d'importants efforts. Elle consiste fondamentalement dans les étapes suivantes :

1. Un événement se produit dans ma vie à propos duquel je me sens troublé émotivement ;
2. J'observe quelles idées habitent mon esprit à l'occasion de cet événement, quelle perception j'en ai, quel jugement je porte sur lui, quelles phrases intérieures je me répète à ce sujet ;
3. Je compare ces idées, ces perceptions, ces jugements, ces phrases intérieures avec la *réalité*, la manière dont le monde est *en fait* ;
4. Si je constate que mes idées sont réalistes, j'en conclus que mon trouble est fondé et il ne me reste qu'à tenter de changer l'événement qui est l'occasion de mon trouble, ou, si cela n'est pas possible, à l'endurer le plus patiemment possible, en évitant de l'amplifier ou de le déformer.

Par ailleurs, si je constate que mes idées ne correspondent pas tout à fait au réel, il me revient de les modifier et de les remplacer par des idées rigoureusement réalistes. La partie de mon trouble qui était due à la présence dans mon esprit de ces idées irréalistes devrait alors disparaître, souvent presque instantanément. En d'autres occasions, surtout si j'ai affaire à des idées irréalistes très ancrées en moi, il me faudra lutter plus longtemps et de façon répétée. Certaines idées que j'entretiens peut-être depuis des années ne céderont pas la place facilement.

Cependant, je ne suis pas venu au monde avec ces idées inscrites en moi. De la même façon que toutes les autres idées qui trottent dans ma tête, je les ai acquises, graduellement, au cours de ma vie, à la faveur de l'éducation qu'on m'a donnée, de la propagande diffusée par les médias, à travers ma propre expérience de la vie.

Vous comme moi, enfants, nous avons hérité de notre entourage un grand nombre d'idées, de notions, une espèce de philosophie de la vie ou de vision du monde. Le plus souvent, cette transmission d'idées ne s'est pas faite de façon explicite, mais plutôt de manière insensible. Par exemple, si vous êtes né dans une famille où on ne parlait jamais de sexualité, si ce n'est pour en décrire les dangers ou pour faire des plaisanteries ambiguës, il se peut fort bien que vous en arriviez peu à peu à concevoir ce domaine comme une région dangereuse semée d'embûches, source d'anxiété et de culpabilité. Si vous êtes une femme et que votre mère vous a répété que tous les hommes sont des cochons qui ne pensent qu'à « ça » – « ça » n'étant pas trop clairement expliqué en plus ! –, si vous l'avez entendue geindre et se lamenter à chacune de ses règles, si vos premières règles ont été entourées d'un voile de honte et de mystère, je ne serais pas étonné qu'à vingt ou vingt-deux ans, vous ayez de la sexualité une idée très négative et fort peu réaliste. Quand on est enfant, on est très naïf. L'expérience nous manque pour mettre en doute les affirmations souvent peu nuancées des adultes, surtout si ces adultes ont pour nous le prestige d'un père, d'une mère, d'une grande sœur ou d'un grand frère.

Nous pourrions faire nos propres expériences et tirer nos propres conclusions de notre contact avec le réel, mais l'ennui, c'est que les idées déraisonnables auxquelles nous croyons déjà viennent diminuer notre initiative et notre capacité d'expérimenter par nous-mêmes. Ainsi, pas un jeune homme ne ferait un drame de ses masturbations d'adolescent s'il n'avait cru ce que des adultes peu réalistes lui ont enseigné à ce sujet. Encore une fois, ce ne sont pas les *événements* de notre enfance ou de notre jeune âge qui entraînent d'eux-mêmes des troubles à l'âge adulte, mais bien les *évaluations* que nous en avons faites ou qu'on nous a appris à en faire à l'époque.

Puisque nous parlons de sexualité, prenons un exemple dans ce domaine. J'ai le souvenir de deux consultantes qui avaient toutes deux vécu des expériences de contact génital avec des adultes durant leurs jeunes années. Marie avait été la victime d'un pédophile qui, alors qu'elle avait huit ans, l'avait contrainte à des attouchements génitaux. L'enfant en parle à ses parents qui réagissent alors avec pondération. Le père et la mère, fort équilibrés tous deux sur ce point, expliquent calmement à l'enfant ce qu'elle ne comprend pas et lui transmettent par leur attitude qu'il ne s'agit pas du tout d'une catastrophe, mais d'un épisode assez ennuyeux, non sans danger. Somme toute, elle n'a pas à en être traumatisée.

Il n'en est pas de même pour Anne-Marie. À la suite d'une expérience analogue, ses parents, visiblement perturbés eux-mêmes dans ce domaine, poussent les hauts cris ; le père parle de commettre un meurtre, la mère gémit sur la perversité des hommes en général, on traîne l'enfant affolée chez le médecin, chez le curé. C'est une catastrophe qu'on évoque des années plus tard comme « la fois d'Anne-Marie » en échangeant des regards lourds de sens.

Dans le cas de Marie, pas de problèmes sérieux de sexualité. Anne-Marie, par contre, était terrifiée par les hommes, faisait des cauchemars affreux et songeait à entrer au couvent. Qu'on ne vienne donc pas ici parler « d'événement traumatisant » : ce n'est pas l'événement qui fut traumatisant, puisque alors et Marie et Anne-Marie auraient dû être affectées toutes les deux de façon analogue. C'est l'absurde réaction des parents d'Anne-Marie, prisonniers eux-mêmes d'un cortège d'idées irréalistes, qui fut l'élément traumatisant dans sa vie.

On se rend bien compte que des idées irréalistes aussi anciennes et aussi solidement ancrées ne cèdent pas la place facilement et qu'il faudra plus que quelques gentilles confrontations pour les éliminer et les remplacer par des notions plus appropriées, plus réalistes.

« Mais, me direz-vous, s'il est aussi simple d'en arriver à vivre heureux ou, du moins, moins malheureux, comment se fait-il que tant de gens passent la majeure partie de leur existence à se morfondre dans les abîmes de la dépression ou à se consumer dans les flammes de la fureur ? »

Il me semble que, mis à part les gens qui possèdent vraiment une intelligence trop limitée pour penser clairement, la grande majorité des êtres humains ont fortement tendance à penser de manière déraisonnable dans certains domaines. Non pas qu'ils soient incapables de penser raisonnablement, puisqu'ils démontrent leur aptitude à une pensée logique et ordonnée dans *certains* autres domaines. Tel homme d'affaires prendra des décisions réfléchies et logiques, gardera tout son calme devant des difficultés financières sérieuses, mais fera une affreuse colère en entrant à la maison parce que son petit garçon a rayé un disque de sa collection. Tout se passe comme si le règne de la raison chez nous était toujours chancelant, battu en brèche par notre tendance à penser de travers et à nourrir des pensées absurdes. C'est ce qu'il est convenu d'appeler des « tendances névrotiques », présentes chez tout individu à des degrés divers. En somme, un névrosé — et nous le sommes tous à l'occasion — est un être intelligent qui agit d'une façon stupide et qui, par son action, contrecarre l'atteinte de ses propres objectifs. Ainsi, si l'on demandait à notre homme d'affaires colérique ce qu'il souhaite trouver en entrant à la maison, il répondrait probablement : le calme, la paix et la sérénité après une dure journée de travail. On voit mal comment il pourra atteindre cet objectif en se livrant lui-même à une colère insensée, en terrorisant la famille et en provoquant chez ses enfants larmes, cris et gémissements. Pensons au mari qui gifle sa femme parce qu'elle n'est pas gentille avec lui. Je serais surpris que cette méthode la rende beaucoup plus gentille dans le futur!

Dans notre prochain chapitre, nous explorerons plus en détail ces comportements déficients, en essayant de comprendre ce qui les provoque et en examinant les moyens possibles de s'en sortir.

CHAPITRE III

COMPRENDRE LES COMPORTEMENTS NÉVROTIQUES ET S'EN DÉBARRASSER

Le problème de la névrose a fait couler des flots d'encre et a engendré des milliers de livres destinés à l'éclaircir. Toutes sortes d'hypothèses ont été proposées pour expliquer comment une personne, apparemment saine d'esprit, peut en arriver à s'engager dans des actions et des comportements qui nuisent à l'atteinte de ses propres objectifs et ne lui procurent que du malheur. Présentons quelques exemples pour illustrer comment une personne névrosée fonctionne.

Arthur a vingt-cinq ans. Étudiant au doctorat en littérature, il ne parvient pas à écrire sa thèse. Il a pourtant choisi un sujet qui l'intéresse vraiment, procédé aux recherches préliminaires, fait de nombreuses lectures. Maintenant, depuis plus de six mois, il est tombé dans une espèce de marasme généralisé. Il se lève vers midi, se sent toujours fatigué, passe l'après-midi à lire des romans policiers et la soirée à regarder distraitement la télévision, et ce, jusqu'à la fin des émissions, vers les deux heures du matin. Il n'a pas écrit une seule ligne de sa thèse pendant tout ce temps. Parfois, s'armant de courage, il s'assoit à sa table de travail et produit péniblement une ou deux pages, remplies de ratures, qu'il déchire ensuite avec découragement. Il parle de plus en plus de tout abandonner : études, recherches, carrière, et de se lancer dans... il ne sait trop quel domaine.

Arthur ne comprend pas trop ce qui lui arrive. En parlant avec lui et en sondant ses motivations fondamentales, nous en arrivons assez rapidement à élucider quelques points. Fils aîné d'une famille de quatre enfants – les trois autres sont des filles –, Arthur a perdu son père vers ses treize ans. Sa mère, durement frappée par le décès, a peu à peu reporté sur les épaules d'Arthur la dépendance qu'elle avait déjà développée envers son mari. Arthur est devenu le petit homme de la famille, le soutien de la cellule familiale. À un âge où ses amis jouaient à la balle ou commençaient à regarder les filles du coin de l'œil, Arthur avait déjà le front plissé, ridé, du chef de famille. Il se devait de donner l'exemple du fils parfait – sa mère l'aimait tant ! –, du grand frère sérieux et appliqué. Il réussissait très bien dans ses études ; enfant tranquille et doux, il s'entendait bien avec tout le monde tout en restant un peu distant. Ses professeurs l'admiraient, le citaient en exemple. Sa mère se félicitait en silence d'avoir un si bon fils, si rangé, si « à sa place ».

Arthur n'était pas très intéressé par les sorties, les danses bruyantes, la musique pop. Il aimait lire et pouvait passer des heures avec ses bouquins en écoutant du Mozart. Il était bien un peu solitaire mais il semblait s'en accommoder. D'ailleurs, il se sentait si bien à la maison ! Il rêvait de devenir un intellectuel renommé, d'écrire des livres profonds qui marqueraient sa génération. Il se voyait un jour le Camus canadien, exerçant une influence énorme sur ses concitoyens.

Ce qui apparaît de plus en plus clairement, c'est que petit à petit, à la faveur de la mort prématurée de son père et des responsabilités déposées trop tôt sur ses épaules d'enfant, Arthur s'est habitué à croire qu'il se devait d'*exceller* dans tout ce qu'il entreprenait. Non seulement ne pouvait-il tolérer de faire des erreurs, mais encore sa production devait être *parfaite*. Tout se passait assez bien tant que son travail intellectuel n'exigeait que peu de son intelligence très vive. Tant qu'il ne s'agissait pour lui que de répondre aux exigences limitées de ses enseignants, il s'en tirait facilement et brillamment.

Mais aujourd'hui sa thèse présente une situation toute différente. Ici, c'est Arthur lui-même qui fixe les exigences, puisque la liberté lui est laissée d'organiser en très grande partie sa recherche comme il le désire, d'aller plus ou moins en profondeur, de rédiger d'une façon plus ou moins complète. Comme les exigences d'Arthur sont *sans limites*, comme il *doit* produire la thèse parfaite, comme ce qu'il écrit n'est jamais *assez bon* à ses yeux, il ne lui reste qu'une issue : ne pas l'écrire, cette thèse, puisqu'elle ne saurait jamais correspondre exactement à celle dont il a rêvé si longtemps, puisqu'elle ne saurait être la thèse *parfaite*.

De tout cela, Arthur ne se rend compte que graduellement. C'est peu à peu qu'il en arrive à ce qu'Ellis appellerait l'*insight numéro 1* (Ellis, 1973, p. 147-162). Cet *insight* consiste, pour Arthur, à réaliser que ses tergiversations actuelles devant la rédaction de sa thèse ne sont pas dues à des difficultés objectives présentes, mais trouvent leur origine dans son passé et, primordialement, dans la mentalité, la philosophie personnelle, l'image de lui-même qu'il a malheureusement développées à partir des expériences de son adolescence.

Qu'on ne s'y trompe pas cependant, *ce n'est pas* le décès de son père qui a amené chez Arthur la formation de cette mentalité perfectionniste. La mort du père n'a été que l'*occasion* pour lui de commencer à croire — comme d'ailleurs sa mère le lui transmettait subrepticement par ses attitudes — qu'il se devait dorénavant d'agir d'une façon parfaite, infaillible. Tous les enfants qui perdent leur père à l'adolescence ne deviennent pas par la suite des névrosés perfectionnistes. C'est donc la manière dont Arthur a évalué la mort de son père, les conclusions qu'il a tirées de cette situation, les idées qu'il s'est faites à ce sujet, les phrases plus ou moins conscientes qu'il a commencé à se répéter alors qui sont la cause véritable de son blocage actuel.

Le seul acquis de cet *insight*, tout intéressant qu'il soit sur le plan clinique, n'est pas d'une très grande utilité pour Arthur. En effet, pour qu'il puisse abandonner son état névrotique, il est important qu'il puisse parvenir à l'*insight numéro 2*.

Cette deuxième étape consiste pour lui à se rendre compte que son comportement névrotique persiste non pas en raison de quelque contagion magique du passé, mais bien parce qu'il continue, sans s'en apercevoir, à croire fermement les idées absurdes qu'il a acquises pendant son adolescence et à se les répéter, plus ou moins consciemment, inlassablement, au cours des jours. Arthur en arrive peu à peu, en surveillant de près son langage intérieur, à déceler que son esprit se nourrit souvent de phrases comme celles-ci : « Il *faut* que j'écrive une thèse remarquable. Je *n'ai pas le droit* de décevoir tous les gens qui croient en ma valeur intellectuelle... Si je produisais une thèse médiocre, *ce serait une honte*... Je serais moins qu'un homme. » Il s'aperçoit alors qu'en entretenant de telles pensées, *il se bloque lui-même* bien plus efficacement qu'aucun agent extérieur ne saurait y parvenir. Il n'est pas de blocages plus efficaces que ceux que nous construisons nous-mêmes avec le matériau que constituent nos idées irréalistes. De nombreux êtres humains ont réalisé des tâches objectivement très difficiles, dans des circonstances extérieures défavorables et y sont quand même parvenus. Par contre, combien de millions d'autres végètent dans des circonstances pour le moins normales et parfois très favorables, bloqués de l'intérieur, emprisonnés dans des cachots dont ils ont la clé dans leur poche.

Ainsi donc, si son blocage subsiste des années après les événements qui l'ont vu naître, c'est qu'Arthur continue, par inadvertance, à le renforcer en continuant à croire aux idées qui ont germé en lui quand il avait treize ans. Comme je le répète à de nombreux consultants : « Je veux bien que le feu qui vous brûle actuellement se soit allumé il y a des années, mais s'il brûle encore aujourd'hui, c'est que quelqu'un y dépose du bois et entretient la flamme, et je vous soupçonne fort de le faire. Bien sûr, vous ne faites pas exprès, mais vous ne vous rendez pas compte que vous entretenez les flammes en y apportant sans cesse le combustible de vos idées irréalistes. »

Il reste à Arthur à parvenir à l'*insight numéro 3*. Cela consiste pour lui à se rendre compte que c'est à lui, et à lui seul, que revient la tâche d'examiner, de critiquer, de confronter et enfin d'expulser les idées irréalistes qui l'occupent. C'est en se mettant résolument à ce *travail* — une thérapie n'a que peu de ressemblance avec une série d'entretiens gentils et amicaux, mais s'assimile davantage au travail du forgeron ! — d'épuration de sa pensée et de contre-propagande de lui-même qu'Arthur parviendra à changer ses idées irréalistes en pensées raisonnables. Ses blocages intérieurs seront en grande partie éliminés le jour où il parviendra à se dire la toute simple et directe vérité : « Il ne faut pas que j'écrive une thèse remarquable. *Rien* ne m'y oblige : ni mes parents, ni mes pairs, ni la société, ni le ciel, ni l'enfer. Il n'existe aucune loi qui exige que je rédige cette thèse et aucune qui exige qu'elle soit remarquable. *Je* peux vouloir rédiger cette thèse et vouloir en faire un chef-d'œuvre, mais je ne peux pas m'attendre de façon réaliste à ce qu'elle soit parfaite. J'ai parfaitement le droit d'écrire une thèse même médiocre ; si d'autres personnes s'en offusquent, elles n'auront qu'à s'en prendre à leurs propres idées déraisonnables, à leurs exigences irréalistes à mon égard. Si je produis une thèse qui, à leurs yeux, et même aux miens, s'avère médiocre, cela ne constituera point une honte ni une catastrophe, mais tout simplement le résultat normal de l'activité de l'être fondamentalement imparfait, vulnérable et faillible que je suis, comme tout le monde. En aucun cas serais-je moins qu'un homme, puisque cela m'est carrément *impossible*. »

C'est en se tenant semblable langage – qui, on le remarquera, n'est ni optimiste ni pessimiste, mais tout simplement réaliste – et en passant ensuite à l'*action*, c'est-à-dire en se forçant littéralement à s'asseoir à sa table de travail, à prendre son stylo et du papier et à *écrire*, qu'Arthur parviendra à rédiger sa thèse, s'il désire toujours le faire.

Soulignons que la méthode recommandée dans tout ce volume n'est en aucune manière à confondre avec le volontarisme. Au sens populaire du terme, le volontarisme correspond à l'attitude d'une personne qui croit pouvoir soumettre le réel à sa volonté. Nous serions en présence de volontarisme si Arthur se disait : « Peu importent les difficultés que j'éprouverai dans la rédaction de ma thèse ; je les vaincrai sûrement par la seule force de ma volonté ; il suffit que je veuille écrire cette thèse pour que je l'écrive. »

Cette attitude est éminemment irréaliste, le réel n'ayant cure de notre volonté. Les choses sont comme elles sont et la dépense de tonnes de volonté ne les modifiera pas d'un poil.

Cependant, il faut remarquer que bien des aspects du réel qui nous apparaissent inaltérables ne le sont pas en fait, mais nous le *semblent* seulement à cause de nos perceptions inadéquates, issues entre autres de nos peurs. La peur déforme nos perceptions et tend à magnifier les difficultés ou les obstacles et à diminuer l'importance des aspects plus favorables. Combien de fois ne nous sommes-nous pas dit que nous *ne pourrions pas* faire telle chose, alors qu'un moment de réflexion claire nous aurait permis de comprendre que nous étions parfaitement capables de le faire mais que nous *avions peur* d'une chose, d'ailleurs parfaitement inoffensive la plupart du temps.

Je me souviens d'une consultante qui m'affirmait qu'elle *ne pouvait pas* me parler de certains sujets. Il était facile de lui démontrer qu'elle pouvait parfaitement le faire, puisqu'elle détenait toutes les conditions nécessaires à l'expression verbale cohérente. D'une part, elle connaissait le sujet dont elle disait ne pouvoir parler ; il était même bien présent dans son esprit. D'autre part, ses capacités logiques et ses organes physiques de la parole étaient intacts. Il reste qu'elle ne parlait pas, non parce qu'elle *ne pouvait pas*, mais parce qu'elle redoutait mes réactions possibles à ses révélations. Pourtant, ces mêmes réactions n'auraient eu rien de redoutable. Imaginons à la limite que devant ses révélations j'aurais fait une violente colère et que je l'aurais chassée de mon bureau sous une pluie d'injures et d'insultes. Cela n'a rien de bien redoutable, puisqu'il lui aurait toujours été possible de ne tenir aucun compte de ma réaction, de se retirer avec calme en m'envoyant intérieurement au diable.

Vous me direz que cela est bien difficile à faire et que j'exige beaucoup d'un être humain. Je vous répondrai que je n'exige rien du tout, que je n'ai jamais prétendu que cela était *facile*, mais seulement que c'était *possible*.

Cela dit, il ne convient pas de minimiser le rôle de la volonté dans toute vie en général et dans une psychothérapie en particulier. La volonté devra être coordonnée étroitement à l'intelligence et, dans la plupart des cas, subordonnée temporellement à cette dernière.

Il ne s'agit donc pas de *vouloir* de manière aveugle, pour que tout s'arrange. Dans la plupart des situations, il sera plus efficace de s'attarder d'abord à comprendre, de déterminer les objectifs auxquels on peut raisonnablement aspirer, d'examiner les obstacles extérieurs et surtout intérieurs qui entravent la démarche et d'appliquer *ensuite* avec énergie sa volonté à atteindre ces objectifs et à niveler ou à contourner ces obstacles.

Vous me direz que tout cela est, en théorie, parfaitement clair et logique, mais qu'en pratique il n'en est pas ainsi, que notre action est, la plupart du temps, désordonnée et d'une efficacité réduite. Je vous répondrai que si vous passiez trois minutes à confronter vos idées irréalistes et absurdes, vous vous sentiriez rapidement beaucoup mieux. Comme le dit l'auteur du *Principe de Peter*: «Si vous ne savez pas où vous allez, vous arriverez ailleurs!» Enfin, vous ne risquez pas beaucoup à essayer pendant deux semaines. Si ça ne va pas, vous n'aurez toujours perdu que quatre-vingt-dix minutes, moins de temps qu'il ne vous en faut probablement pour aller chaque jour à votre travail et en revenir!

Ainsi donc, il semble clair que, la plupart du temps, en exceptant ces cas où une personne est sérieusement perturbée physiquement (par exemple par un déséquilibre hormonal marqué ou des insomnies prolongées), les comportements névrotiques sont causés par la personne elle-même ou, plus exactement, par les idées irréalistes qu'elle entretient, très souvent sans même s'en rendre compte. Que beaucoup de ces idées chez l'adulte soient nées à l'occasion d'événements qui se sont passés durant l'enfance ou la jeunesse n'a rien de particulièrement étonnant, l'enfant et l'adolescent étant plus vulnérables à l'implantation de ces idées aberrantes à cause du développement encore fragmentaire de leur raison et de leur manque inévitable d'expérience.

La plupart des moyens utilisés pour faire face à ces difficultés névrotiques sont misérablement inefficaces, quand ils ne sont pas carrément nuisibles.

Ainsi, M. Dubois se sent sur le point de craquer. Cet homme d'affaires attribue son épuisement nerveux à la somme de travail qu'il doit abattre chaque jour, au poids des responsabilités qui reposent sur ses épaules. En fait, il n'en est rien, puisque son collègue, M. Duval, qui abat chaque jour autant de travail et partage des responsabilités analogues, ne se sent pas du tout sur le point de s'écrouler. Comme toujours, la vraie cause des émotions de M. Dubois réside non dans les événements extérieurs, mais dans les idées qu'il entretient dans son esprit. Dans le cas présent, il se dit qu'*il faut absolument* éviter toute erreur, qu'*il doit* donner un rendement maximum, que si la compagnie subit des revers à cause de ses erreurs, cela sera une *catastrophe*. Ce sont là des idées capables d'énerver l'homme le plus calme du monde et on ne s'étonne pas que M. Dubois soit épuisé psychiquement, et, en conséquence, physiquement, le psychique ayant la mauvaise habitude d'influencer directement le physique. Voilà M. Dubois candidat à la crise cardiaque, ce dont son médecin l'avertit et ce dont il se sert pour s'angoisser encore davantage. Que fera-t-il devant cette situation ? S'assiéra-t-il tranquillement pour examiner les pensées qui s'agitent en lui, les confronter au réel et expulser celles qui sont déraisonnables ? C'est malheureusement bien peu probable. Il pourra décider de changer d'emploi, ce qui serait bien dommage, s'il est vraiment compétent dans celui qu'il occupe, et risquerait de lui amener de nouvelles occasions d'anxiété. Il pourra tenter de noyer son angoisse dans l'alcool ou les médicaments. Il déjeunera de deux martinis et dînera d'un triple scotch, assaisonné de cachets de Valium de Librium ou de Librax, prescrits par un médecin pressé. Après une nuit de sommeil lourd, il retrouvera ses angoisses au saut du lit.

Il pourra décider de prendre des vacances, *de tout oublier* pendant quelque temps, ce qui n'est pas si bête, à condition qu'il n'emporte pas ses soucis avec lui aux Barbades. Ses tracas l'attendront à sa descente d'avion, avec peut-être encore plus de vigueur. Où qu'il aille, il porte son mal en lui. S'il continue à nourrir ses idées déraisonnables, celles-ci ne lui laisseront pas de repos et continueront à le ronger avec malignité, même s'il parvient à les oublier quelque temps par les moyens que nous venons d'énumérer.

À longue échéance, il n'existe vraiment pas de substituts à une honnête exploration de lui-même pour l'amener à débusquer ses pensées irréalistes, sources de tout son trouble. Toute autre méthode ne semble devoir apporter qu'un soulagement temporaire, suffisant peut-être pour permettre de dépasser des difficultés superficielles, mais clairement inadéquat pour changer vraiment toute une personnalité et opérer une transformation permanente. Ce qui est important pour M. Dubois, ce n'est pas d'abord de régler le problème concret d'anxiété auquel il est acculé, pas plus que ce dont Arthur a besoin soit de finir par écrire sa thèse. Ce sont là des objectifs à trop courte portée. Il serait beaucoup plus avantageux pour Arthur comme pour M. Dubois de se transformer de personnes perfectionnistes et anxieuses qu'elles sont en personnes réalistes et détendues. Il est sans doute utile de trouver des moyens de se sortir de l'eau chaque fois qu'on y tombe et qu'on risque de s'y noyer, mais il serait encore bien plus utile d'apprendre à nager, de se transformer de personne qui risque toujours de se noyer en personne qui ne peut pratiquement plus se noyer.

Dans ce chapitre, nous avons examiné, à travers quelques exemples, comment un être humain devient peu à peu névrosé, comment, en nourrissant inconsciemment en lui des idées irréalistes, il peut en arriver à se détruire lentement lui-même. Nous avons aussi examiné les moyens de se tirer d'une aussi désagréable situation. Dans le prochain chapitre, nous examinerons l'importance qu'il convient d'attacher aux événements de notre passé pour la compréhension de notre présent.

CHAPITRE IV

L'INFLUENCE DE L'ENFANCE

J'ai connu Pauline quand elle avait vingt-sept ans. Mariée depuis deux ans, elle était venue me consulter parce qu'elle se sentait continuellement triste, déprimée, anxieuse, inadéquate et inférieure, surtout depuis la naissance de son premier bébé. Elle passait de longues heures à pleurer, se redisant qu'elle ne pourrait jamais être une mère convenable, qu'elle était une épouse médiocre et que, somme toute, il eût mieux valu qu'elle ne fût jamais née. Son mari, qui l'aimait beaucoup, tentait de l'encourager, de la consoler, mais il dut s'avouer vaincu devant la persistance de ses sentiments d'infériorité et de culpabilité.

Dès la première rencontre, il apparut clair que Pauline avait été la fille d'une mère hypercritique, qui avait passé son temps à rejeter sa fille, à la blâmer sévèrement à chacune de ses erreurs ; comme on pouvait s'y attendre, Pauline en était rapidement venue à se percevoir elle-même comme mauvaise, incompétente, inférieure et méprisable. En conséquence, elle était devenue de plus en plus timide et craintive, refusant de s'engager dans les activités normales des jeunes filles de son âge, cédant à la panique devant la moindre difficulté. Par la suite, elle se sentit de plus en plus incompétente et incapable de se réaliser elle-même.

Pauline, comme la plupart des gens, croyait fermement que ses sentiments dépressifs venaient du fait que sa mère l'avait si injustement et sottement rejetée quand elle était jeune. Pourtant, si tel eût été le cas, comment expliquer que *tous* les enfants qui ont été rejetés par leur mère n'aboutissent pas à la névrose? Chacun de nous connaît un ami, un parent, une connaissance qui a vécu une enfance malheureuse, qui a expérimenté le rejet de sa mère, et qui s'est bien tiré d'affaire à l'âge adulte.

On ne peut donc pas logiquement conclure que c'est le rejet même de sa mère qui était la *cause* de la dépression de Pauline. Bien sûr, ce rejet n'avait sûrement pas constitué un élément favorable à son développement personnel, mais, à lui seul, il ne pouvait que présenter à Pauline l'*occasion* de créer dans son esprit un ensemble d'idées reliées à ce rejet.

Ces idées, Pauline les avait très bien élaborées et elle y croyait fermement. Par exemple, elle tenait pour certain que des parents *devraient toujours* aimer et accepter profondément leurs enfants et que c'est une horrible injustice quand ils les rejettent. Elle croyait aussi, plus ou moins consciemment, que le fait d'être rejetée par sa mère prouvait hors de tout doute qu'elle n'avait aucune valeur ni aucun mérite. Elle était convaincue, puisqu'elle ne parvenait jamais à plaire à sa mère, que cela démontrait qu'elle ne valait rien. Elle était persuadée que ses échecs, conséquences de son manque de confiance en elle-même, révélaient encore une fois sa non-valeur. Il n'était que trop facile pour Pauline de croire à toutes ces idées, puisqu'elles sont répandues largement par la télévision, les livres d'enfants, le cinéma, la publicité et les simples conversations des adultes. Relisez la comtesse de Ségur et vous verrez que les *petites filles modèles* sont louées et admirées par leurs parents, alors que la turbulente Sophie a droit aux fessées retentissantes de sa belle-mère.

Ce sont donc bien ces idées qui étaient la cause première et fondamentale des sentiments dépressifs de Pauline, et il est fort douteux qu'en leur absence elle eût été aussi troublée par le rejet de sa mère. Quoi qu'il en soit, si elle était *encore* troublée à l'âge de vingt-sept ans, alors qu'elle avait quitté depuis cinq ans le contact immédiat de sa mère, il fallait bien en conclure que son état actuel était dû à la persistance en elle de ce bagage d'idées irréalistes, à l'*attitude* qu'elle avait adoptée face au rejet maternel et qu'elle continuait à entretenir en se répétant inlassablement une grande quantité de phrases irréalistes.

En somme, si on y pense avec calme, un être humain ne peut être blessé par les autres autrement que *physiquement*. Si mon voisin me donne un coup de poing sur le nez, j'aurai sûrement mal. Mais s'il m'inonde d'injures, répand des calomnies à mon sujet, me traite de tous les noms, tout cela ne saurait m'atteindre directement, à moins que *je* ne le laisse me toucher. Si ses injures m'indiffèrent, si je me *fiche* de ses calomnies, si *je* ne tiens pas compte de ses insultes, comment ressentirais-je quelque douleur? Il s'ensuit donc que si je ressens une souffrance quelconque à la suite des paroles désagréables d'une autre personne, je peux être persuadé qu'elle n'en est pas la cause, mais qu'il faut plutôt accuser ma sotte tendance à me faire mal à moi-même en utilisant les moyens qu'elle met à ma disposition. Tout se passe comme si les autres disposaient devant moi en diverses occasions une collection de marteaux, de couteaux, et d'autres instruments d'agression. Si je ressens du mal à la tête ou une brûlante blessure au cœur, ce n'est pas que l'autre m'a frappé: cela est impossible, il ne peut pas m'atteindre ainsi par ses paroles. C'est moi, qui, sans m'en apercevoir, me suis saisi du marteau pour m'en frapper moi-même la tête, ou du couteau pour me le plonger dans la poitrine. Sans doute, si l'autre n'avait pas mis à ma portée marteaux et couteaux, je n'aurais pas pu les utiliser pour *me* blesser, mais il n'en reste pas moins que c'est bien moi qui suis l'auteur de ma propre blessure. Je ne pourrai jamais empêcher l'autre de me fournir tous ces instruments dangereux, mais je n'ai pas non plus à le redouter puisque, dans la plupart des cas, je pourrai m'empêcher moi-même de les saisir pour m'en frapper.

« C'est difficile de s'en empêcher, direz-vous. Nous avons une tendance presque fatale à nous emparer de ces instruments pour nous en blesser. » Je vous répondrai que cela est sans doute difficile, surtout quand on n'y est pas habitué, mais que l'effort exigé est bien préférable à la douleur que me laisse le coup de marteau ou la brûlure du poignard. Choisissez !

Parlons un peu du fameux complexe d'Œdipe dont les psychanalystes ont décrit avec tant d'éloquence les ravages. Selon la théorie freudienne, ce complexe naît du conflit que ressent l'enfant — disons un petit garçon — qui, poussé biologiquement par son instinct sexuel vers sa mère, se sent coupable de ses désirs libidineux envers elle, déteste son père qui lui apparaît comme un rival et redoute que ce dernier, s'il devenait conscient des pulsions érotiques de son fils, ne se venge de façon atroce en le castrant.

Les suites de ce complexe se manifestent à l'âge adulte par une attitude de crainte envers les hommes plus âgés, répliques du père redouté. Notre œdipien passera sa vie soit à fuir devant ces substituts de son père, soit à tenter désespérément de se les concilier par sa passivité, avec une tendance à se laisser exploiter et manœuvrer par les autres.

Admettons qu'un grand nombre de garçons passent à travers cette période d'attirance envers la mère et de haine envers le père et envers eux-mêmes – quoiqu'il semble exagéré de prétendre que ce phénomène soit universel, beaucoup de petits garçons ne semblant pas du tout désirer voracement nouer des relations incestueuses avec leur mère ni percevoir leur père comme un rival particulièrement redoutable : s'ensuit-il qu'automatiquement la présence de tendances œdipiennes entraîne des conséquences désastreuses à l'âge adulte ? Nullement, à moins encore une fois que l'enfant n'acquière un ensemble d'idées fausses et absurdes à propos de ces tendances. Ainsi, si Hector, à trente ans, est devenu un adulte qui redoute toutes les figures paternelles et tente avec peur de se les concilier, ce n'est pas primordialement à cause de ses tendances œdipiennes infantiles, mais bien parce qu'à un certain moment *il a commencé à croire* et *qu'il croit encore*, plus ou moins consciemment, des choses comme celles-ci : « Si j'ai des désirs sexuels envers ma mère, cela est affreux et horrible ; si jamais je commettais l'inceste avec elle, ce forfait serait l'un des plus affreux qu'il est possible de perpétrer ; il est indispensable que mes parents m'aiment et m'approuvent complètement tous les deux ; il est probable que si mon père découvrait mes désirs incestueux, il me mutilerait horriblement. »

Avec de telles idées, il est clair qu'Hector se donnera lui-même un complexe d'Œdipe florissant, qu'il transformera – bien sûr, sans le vouloir – ses tendances œdipiennes en un système névrotique bien développé.

À trente ans, sera-t-il nécessaire ou même utile qu'il comprenne et revive les conflits infantiles qui ont été l'occasion de sa névrose actuelle ? Cela n'apparaît pas du tout évident, puisque la perpétuation des effets de ce conflit dans sa vie présente n'est pas due aux événements eux-mêmes de son passé, mais aux *idées* qu'il s'est données alors, et qui continuent à subsister dans son esprit.

C'est donc à ces idées, dans le *présent*, qu'il sera le plus opportun de s'attaquer, plutôt que de se livrer à une interminable excursion dans le passé. C'est quand Hector cessera de croire les faussetés qu'il croyait — quand il verra, par exemple, *qu'il n'y a rien* d'affreux pour un enfant à désirer un contact sexuel avec sa mère, que cela n'est ni un crime ni une honte, qu'il n'est pas nécessaire, quoique utile, qu'un enfant reçoive l'affection sans mélange de ses parents, que son père ne saurait être un rival bien redoutable —, c'est donc quand Hector abandonnera ses évaluations irréalistes pour les remplacer par des pensées plus raisonnables qu'il pourra vraiment se débarrasser de son inhibition, de sa timidité, de ses sentiments de culpabilité.

Je me souviens d'un de mes consultants qui se plaignait de ressentir des angoisses quant à son identité sexuelle. Il attribuait cette anxiété au fait, alors qu'il était à l'école primaire, que l'un de ses enseignants — assez mauvais éducateur, il faut le reconnaître — s'était écrié un jour en classe : « Dagenais, vous n'êtes qu'une tapette ! »

« Ce fut comme si la foudre m'était tombée dessus, me dit-il. À partir de ce moment, j'ai été incapable de me débarrasser de l'idée qu'au fond il avait raison et que je n'étais qu'un homosexuel après tout. »

Il est facile de comprendre, d'après ce que nous avons dit jusqu'ici, que l'enseignant offrait au jeune Dagenais une *occasion* magnifique de nourrir en son esprit une grande foule d'idées déraisonnables, causes subséquentes de ses troubles. Ces idées, M. Dagenais y avait cru fermement et y croyait encore. Elles se formulaient à peu près ainsi :

1. « Être un homosexuel est une chose affreuse, honteuse, horrible. »
2. « Puisque le prof le dit, il doit avoir raison. »
3. « Comme je suis une tapette, je vaux moins que rien. Je suis un être abject, vil et méprisable. »

Imaginons le jeune Dagenais se disant en lui-même, plutôt que ces insanités, des phrases comme :

1. « Être un homosexuel n'est ni affreux, ni honteux, ni horrible, mais présente un certain nombre d'inconvénients dans une société aussi remplie de préjugés que celle où je vis. »
2. « Si le prof le dit, il doit le croire. Cependant, il n'est pas infaillible, et il se peut qu'il se trompe. »
3. « S'il a raison, et que je suis vraiment un homosexuel, il est faux que je vaille moins que rien. Je reste un être humain à part entière, ni plus estimable ni moins estimable que n'importe qui. La valeur d'un être humain ne tient à aucune de ses caractéristiques personnelles, pas plus à sa forme de sexualité qu'à autre chose, mais lui vient uniquement du fait qu'il est vivant. »

Avec de telles idées dans la tête, il est bien peu probable que M. Dagenais se fût troublé bien longtemps et qu'il eût empoisonné une bonne partie de sa vie comme il l'avait fait.

Les événements de l'enfance et du jeune âge n'ont donc pas en eux-mêmes plus d'importance dans la génération des troubles émotifs de l'âge adulte que tous les autres événements de la vie. Cependant, comme ils arrivent au début de la vie, ils offrent aux humains l'occasion de se mettre dans la tête des idées qui pourront malheureusement continuer à les affecter longtemps après que les événements eux-mêmes se seront passés. De plus, comme la capacité de raisonner avec clarté n'est encore que peu développée pendant l'enfance, il s'ensuit qu'une personne risque alors davantage d'accepter naïvement des idées et des évaluations, qu'elle rejettera peut-être en tant qu'adulte. C'est à ce titre que l'enfance est une période particulièrement délicate pour tout être humain. Cela dit, on voit combien il serait faux de prétendre que «tout est fixé dès l'âge de cinq ans» et qu'il n'y a plus ensuite qu'à constater tristement les dégâts qui se sont produits alors. Si un être humain a acquis, à quelque âge que ce soit, des idées qui le rendent malheureux par la suite, il peut aussi, à force d'efforts et de lucidité, apprendre à se débarrasser de ces idées et à les remplacer par des pensées plus conformes à la réalité des choses.

CHAPITRE V

« J'AI BESOIN D'ÊTRE AIMÉ... »

Le temps est venu de passer à l'examen systématique d'un certain nombre d'idées déraisonnables très répandues dans notre société et auxquelles, à divers degrés, la plupart des gens adhèrent plus ou moins explicitement. Dans les chapitres qui vont suivre, je vais examiner ces idées l'une après l'autre et m'efforcer de démontrer en quoi elles sont irréalistes, quel trouble elles apportent dans la vie et combien, en conséquence, il serait avantageux de s'en débarrasser.

Je suivrai, pour ce faire, la liste établie par Ellis (Ellis, 1961, 1962, 1973) et qui m'apparaît la plus complète et la plus convaincante.

La première de ces idées est la notion qu'*un adulte a absolument besoin d'être aimé et approuvé par presque toutes les personnes de son entourage pour presque tout ce qu'il fait.*

« Mais, direz-vous, comment osez-vous appeler cette notion déraisonnable ? Ne savez-vous pas que la plupart de vos confrères psychologues affirment sans hésitation que l'homme a besoin d'affection et d'amour pour se développer en tant qu'être humain ? »

Je sais tout cela, mais j'affirme tout de même qu'il vaut mieux utiliser le terme *besoin* avec prudence. Les meilleurs dictionnaires définissent le terme besoin, dans la locution « avoir besoin de... », comme le fait de « ressentir la *nécessité de*, vouloir comme *nécessaire* ou utile » *(Le Robert)*. Or, comme un être humain peut vivre fort bien pendant de longues années dans un isolement complet sans pour autant en mourir ni même se sentir terriblement malheureux, il faut en conclure que l'amour et l'affection de son entourage ne lui sont pas absolument indispensables. Notez bien que je ne suis pas en train de dire que l'amour et l'affection que nous recevons des autres n'ont aucune valeur ou que l'on peut s'en passer complètement avec aisance. Tout au contraire, la très grande majorité des êtres humains désirent et recherchent l'affection et l'approbation des autres, et ils sont pleinement justifiés de le faire, cette affection et cette approbation étant sans doute l'un des biens les plus précieux que l'homme puisse acquérir. J'affirme seulement que ce bien n'est pas *nécessaire* à une vie qui soit vraiment humaine. L'expérience de nombreux êtres humains qui ont vécu avec dignité et plénitude dans des circonstances, non pas d'indifférence, mais bien de rejet actif et de haine de la part de leur entourage, et cela pendant des années et des années, devrait suffire à nous en convaincre. Qu'on lise, entre autres, les nombreux exemples rapportés par Soljenitsyne dans *L'Archipel du Goulag* (1974). Vous me direz que cela ne prouve rien, que ces hommes, internés dans des camps de travail forcé dans des circonstances inhumaines, mis au ban de la société, rejetés de tous, étaient des héros. À mon avis, il n'en est rien. Ils étaient bien modelés de la même pâte que vous et moi, mais je serais assez certain qu'ils se sont gardés de croire qu'ils *avaient besoin d'être aimés et acceptés* par leur entourage et que leur vie n'avait pas de sens sans cet amour et cette acceptation. Ils n'ont pas perdu la vie ni la santé mentale. Pourtant, ils ont vécu dans des circonstances qu'il ne sera jamais, espérons-le, donné à la plupart d'entre nous de traverser.

Il faut se garder de confondre sur ce point les besoins de l'enfant et ceux de l'adulte. L'enfant a bien sûr besoin de l'acceptation de son entourage pour tout simplement survivre. Son état en est un de dépendance complète et un enfant qui serait rejeté de tous ne survivrait que quelques heures. Mais un adulte n'est plus, du moins en théorie, un enfant. Il dispose de moyens que l'enfant ne possède pas pour subvenir à ses propres besoins physiques et pour se défendre contre le rejet et la haine des autres. Il est presque impossible pour un enfant d'envoyer promener intérieurement des adultes qui lui redisent souvent qu'il est méchant, mauvais, inadéquat. Un adulte à qui l'on dit qu'il est un imbécile peut toujours raisonnablement se dire des phrases comme : « C'est son opinion à lui, et rien de plus... Il se trompe peut-être... De toute façon, même s'il a raison et que je suis vraiment un sot, cela ne constitue pas une raison de me rendre malheureux. D'innombrables gens sont stupides *et* heureux, tant qu'ils ne s'imaginent pas qu'il *faut* qu'ils soient intelligents. »

Hélas, l'enfant ne possède pas ces capacités de raisonner. Il n'est que trop porté à accepter sans examen les déclarations de son entourage et à se les appliquer sans discernement.

Un adulte, sans doute, n'en viendra jamais à *aimer* être critiqué et rejeté par les autres, à moins d'être très sérieusement perturbé, mais il peut apprendre à accepter avec calme ces critiques et ces rejets et même à les utiliser à son propre avantage — les critiques les plus injustes contenant souvent une parcelle de vérité.

Laissez-moi vous raconter l'histoire de Paulette. Quand je l'ai connue, elle avait quarante ans et venait tout juste de divorcer après dix-sept ans de mariage entrecoupés de plusieurs séparations temporaires et de nombreuses liaisons. Paulette était fille unique et ses parents l'avait choyée comme la prunelle de leurs yeux. Elle avait grandi avec l'attitude que cette affection lui était tout naturellement due. Avait-elle un chagrin, le père, la mère, les grands-parents, les oncles et les tantes rivalisaient de zèle à la consoler, à lui répéter qu'elle était intelligente, fine comme une mouche, gentille, ce qui était d'ailleurs exact.

Paulette avait de nombreux amis, facilement attirés par sa personnalité brillante, mais ses amitiés avaient tendance à être brèves. Bien sûr, ses amis l'aimaient bien et l'admiraient, mais ils avaient, pour la plupart, autre chose à faire que de chanter ses louanges sans arrêt. Survenait-il une dispute, Paulette se plaignait violemment qu'on ne la comprenait pas, qu'on ne l'aimait pas, et abandonnait ces amis en maudissant leur manque de goût et leurs manières peu dégrossies.

Ce fut la même histoire avec son mari. Son appétit d'approbation et d'amour était insatiable. Se permettait-il quelque maladresse, oubliait-il d'admirer une nouvelle robe ou de la complimenter sur sa dernière réussite culinaire, elle en faisait un drame et allait verser des larmes amères sur l'épaule compréhensive de ses chers parents.

Après des années où les périodes de bonheur sans mélange alternèrent avec des périodes plus nombreuses de dépression, le couple en arriva au divorce, monsieur déclarant qu'il n'en pouvait plus et qu'il en avait assez d'essayer de satisfaire les exigences de sa femme.

Au début de nos rencontres, Paulette agit avec moi de la seule manière qu'elle savait s'y prendre avec les autres. Tant qu'elle me raconta son histoire et que je restai silencieux et compréhensif, tout alla pour le mieux. Après avoir essayé plusieurs autres thérapeutes, elle avait, disait-elle, enfin trouvé le thérapeute de sa vie. J'étais aimable, compréhensif, chaleureux, intelligent, je n'avais que des qualités.

Mais tout changea le jour où je la confrontai pour la première fois. Estimant que la relation était désormais assez établie entre nous deux, je commençai à attaquer ses exigences irréalistes d'amour et d'affection. D'abord étonnée, Paulette réagit ensuite violemment. Elle me reprochait avec amertume de l'avoir trompée, d'avoir fait semblant de l'aimer — alors que je l'aimais vraiment, mais non pas de la manière qu'elle eût souhaité —, de changer de méthode au cours de la thérapie, de ne pas être rogérien (insulte suprême!). Elle me rebattait les oreilles de ses *besoins* d'affection, clamait qu'il *fallait* que je l'aime, alors que je continuais à prétendre le plus calmement possible qu'il n'en était rien, qu'elle n'avait pas plus *besoin* d'affection que de rouge à lèvres ou de souliers à talons hauts.

Ce fut une belle bataille. Elle me menaça de se remettre à boire, d'avaler des somnifères, d'annoncer à tous que j'étais un être dur et méchant, rien n'y fit : je ne voulais pas en démordre, convaincu que si je cédais à ses demandes infantiles, je ne ferais que l'ancrer encore davantage dans l'idée qui était la cause de tout son trouble, à savoir qu'*il fallait que tout le monde l'aime et l'approuve.*

Au fond, Paulette souffrait d'un très grand manque de confiance en elle-même. Elle était terrifiée par la vie et il lui semblait qu'il lui était impossible de survivre sans recevoir à tout instant le soutien de l'affection tangible des autres. Elle ne s'apercevait pas que c'étaient ses exigences déraisonnables qui faisaient le vide autour d'elle et qui la plongeaient dans une solitude pénible.

Cette thérapie dura bien des mois et ce n'est que petit à petit que Paulette déposa les armes qu'elle utilisait si efficacement *contre* elle-même et commença à faire un peu de ménage dans ses idées irrationnelles concernant l'amour et l'acceptation. Nous eûmes encore bien des escarmouches, elle et moi, contre ces idées absurdes ; peu à peu, elle devint capable de mener elle-même le combat et de se débarrasser d'elles en très grande partie. Avec le départ de ces idées, elle retrouva plus de calme, plus d'assurance et une capacité beaucoup plus grande à s'intéresser aux autres, non pas d'abord comme à des sources possibles de soutien et d'affection, mais pour ce qu'ils étaient en eux-mêmes. En somme, elle apprit à *aimer*, plutôt que de chercher sauvagement à *être aimée*.

La situation de Paulette est peut-être assez exceptionnelle, surtout à cause de l'intensité avec laquelle elle croyait à notre idée déraisonnable numéro I, mais elle illustre, à mon avis, de manière évidente, quels ravages la croyance à cette idée peut provoquer dans la vie d'un être humain.

Il y a de nombreuses raisons qui aident à comprendre pourquoi l'exigence d'être aimé et approuvé par tout le monde est déraisonnable.

Tout d'abord, c'est un objectif absolu, perfectionniste et, comme tel, inaccessible. Ensuite, il faut se souvenir que si vous exigez l'amour d'un certain nombre de personnes seulement, il se peut fort bien que parmi elles se trouvent des personnes qui sont relativement incapables de vous aimer à cause de leurs propres déficiences. J'ai ici en mémoire la situation de Ronald, qui a passé des années à tenter désespérément de se faire aimer par une jeune fille très perturbée et qui cherchait, elle aussi, à se faire aimer de lui. Ni lui ni elle n'aimait l'autre, mais tous deux étaient tellement prisonniers d'eux-mêmes qu'il ne leur restait pas d'énergie pour aller l'un vers l'autre avec liberté. C'était un gentil petit enfer.

D'autres personnes ne vous aimeront pas à cause de certaines de vos caractéristiques. Si vous vous efforcez de changer ces caractéristiques et que vous y parvenez, vous vous trouverez probablement à déplaire à d'autres personnes qui vous estimaient justement parce que vous les possédiez. Telle personne vous rejette parce qu'elle vous trouve trop direct et trop brutal. Vous vous contenez, vous devenez nuancé et délicat et voilà que d'autres de vos amis vous abandonnent, parce qu'ils regrettent que vous soyez devenu, à leurs yeux, trop timide et trop réservé. Comme l'affirme le dicton : « On ne peut pas plaire à tout le monde et à son père. » Et quelle gymnastique cela exigerait de vous !

En troisième lieu, si vous exigez l'amour constant de tout le monde, il faudra que vous soyez toujours aimable. Mais en êtes-vous capable ? N'êtes-vous jamais désagréable avec qui que ce soit ? C'est encore là un objectif perfectionniste.

Un quatrième point est fort important : en essayant de vous faire aimer par tout le monde tout le temps, vous risquez beaucoup de ne recueillir à la longue que le mépris et le dédain des autres. Ils trouveront que vous manquez d'autonomie, de fermeté personnelle et vous en estimeront d'autant moins. Par ailleurs, en vous accrochant de manière possessive aux autres, vous risquez d'en exaspérer un certain nombre, de les rendre agressifs à votre égard et de provoquer ainsi le rejet que vous cherchez tant à éviter. C'est exactement ce qui était arrivé à Paulette de qui j'ai parlé plus haut.

En cinquième lieu, il est important de constater que les personnes qui se redisent qu'elles ont *besoin* d'être aimées se sentent presque toujours inadéquates et peu aimables au fond d'elles-mêmes. Ce besoin d'être aimé recouvre la plupart du temps des sentiments profonds de mépris de soi-même et de détestation de soi. C'est un peu comme si la personne se disait : « Je ne vaux pas grand-chose... je suis faible et démunie... j'ai donc besoin que les autres m'entourent et me soutiennent de leur affection. » Malheureusement, en concentrant ses énergies à tenter d'obtenir l'affection des autres, la personne ne les utilise que rarement à se prendre en main elle-même, à commencer à s'aimer elle-même, et demeure ainsi anxieusement dépendante de son entourage.

Ce point pose tout le problème de l'acceptation et de l'estime de soi, et, plus précisément, de l'*image de soi*. Nous sommes très portés, comme êtres humains, à nous évaluer nous-mêmes. Cette tendance, qui semble être naturelle en nous, se trouve d'ailleurs renforcée dès notre enfance par les messages d'évaluations que nous recevons de notre entourage. Nos parents nous apprennent souvent à nous juger comme *bons* quand nous faisons de bonnes choses et comme *mauvais* quand nous faisons de mauvaises choses. L'école vient, à son tour, appuyer cette tendance, avec son système complexe d'évaluations répétées. Que faut-il donc qu'un être possède pour pouvoir se dire à lui-même qu'il est bon et donc estimable par lui-même? Faut-il qu'il soit un bon travailleur? Mais alors nous condamnons à la haine de soi tous les incompétents et les paresseux. Faut-il qu'il soit un grand amoureux, capable de sortir de lui-même pour se donner aux autres? Mais alors, tous ceux qui, pour diverses raisons, sont incapables d'aimer, sont voués au mépris d'eux-mêmes. Faut-il qu'il connaisse des succès sociaux? Mais alors, que ferons-nous de tous les timides et de tous les inhibés? Faut-il, comme le prétendent les rogériens, qu'il ait été aimé profondément et gratuitement par quelque autre personne: un parent, un ami, un thérapeute? Qu'arrivera-t-il alors à ceux que leurs parents ont rejetés, qui n'ont pas su se faire des amis et qui ne peuvent pas se payer l'affection d'un thérapeute? Sont-ils tous promis à une vie de dépression et de haine envers eux-mêmes?

En dernière analyse, il semble bien que toutes ces conditions soient inutiles, et même nuisibles, puisqu'elles font dépendre l'estime de soi d'éléments qui ne sont pas directement contrôlés par la personne même, qui est ainsi toujours menacée de la perdre.

Si je m'estime *parce que* je suis un habile ingénieur, un grand médecin ou un mécanicien expert, que m'arrivera-t-il quand je ne pourrai plus exercer mon activité professionnelle? Si je m'estime *parce que* je me vois comme une bonne mère de famille, élevant bien ses enfants et créant une atmosphère épanouissante à la maison, tomberai-je dans la culpabilité et la dépression si l'un ou l'autre de mes enfants « tourne mal » ?

On dira : « L'estime de soi dépend de la construction d'une image positive de soi. » Mais qu'est-ce que c'est, cette fameuse image positive de soi ? Que répondre à la question : « Qui suis-je ? » Je peux répondre : « Je suis un bon mécanicien. Par ailleurs, je suis un assez piètre mari. Je suis un bon père pour mes enfants, mais je m'entends mal avec mes compagnons de travail. Je suis très généreux envers les gens mal pris, mais je suis très soupçonneux envers les membres de ma famille. Ma mère m'adore, mais ma belle-mère me déteste. » Et ainsi de suite, de façon interminable, en tâchant de faire la liste de mes caractéristiques positives et négatives, en tentant de faire une espèce de bilan de ce que je suis. Et ensuite ? Comment pourrai-je en arriver à pondérer les éléments de cette liste ? Dirai-je qu'être un bon père de famille a plus de poids que le fait d'être un mari inadéquat ? Comment arriverai-je à faire la somme de caractéristiques aussi disparates ? Cela semble aussi ridicule que de tenter d'additionner trois pommes, sept montagnes, cinq chiens bouledogues et douze statues de saint Joseph. Tout le monde voit immédiatement que cette démarche est stupide, mais c'est bien pourtant ce que tant de gens tentent de faire quand ils essaient de s'évaluer globalement comme personnes, de porter un jugement sur leur valeur personnelle.

Il faut donc conclure qu'il est non seulement impossible, mais nuisible de tenter de se construire une image de soi et de s'évaluer globalement. Je peux bien essayer, et cela est tout à fait légitime, de devenir un meilleur père de famille, un meilleur mari, un meilleur soudeur, un meilleur joueur de football, mais je devrais me garder de l'illusion que je deviendrai pour autant une *meilleure personne*. Ma valeur comme personne a été fixée une fois pour toutes quand je suis venu au monde, puisque, finalement, elle dépend *uniquement* du fait que je suis un être humain. Cette valeur est exactement la même pour tous les êtres humains, quels que soient leurs qualités, leurs défauts, leurs caractéristiques diverses. Toute autre vision des choses mène à des conséquences stupides, comme le mépris des autres, la glorification personnelle, les sentiments de non-valeur, et, à la limite, à la persécution de ceux qui ne possèdent pas les mêmes caractéristiques que moi, qui ne possèdent pas la même couleur de peau que moi, qui ne partagent pas ma religion ou mes convictions politiques. Au nom de ce principe, on a liquidé et on continue à liquider les Noirs, les Juifs, les Arabes, les socialistes, les bourgeois, les impuissants, les homosexuels, les cancéreux, les faibles d'esprit et les bébés difformes, tous ceux qui, à un moment ou l'autre, se sont malheureusement trouvés à posséder des caractéristiques que la majorité de leurs congénères ont jugé les rendre indignes de vivre.

Il semble donc primordial d'abandonner l'entreprise chimérique qui consisterait à tenter de s'évaluer soi-même comme personne. C'est le chemin royal de la névrose et du désespoir. D'autant plus que, si je tente de m'évaluer moi-même, je serai presque fatalement porté à faire la même chose pour mes confrères humains, à tenter de les jauger par comparaison avec moi, et ainsi à déclarer sottement qu'un tel est *mauvais* et que tel autre est *bon*, qu'un tel est *meilleur* que moi et tel autre *pire*. Tous ces jugements sont non seulement indémontrables, mais nocifs, et constituent la source première des dissensions entre les humains et des troubles émotifs chez chacun d'eux.

Pour toutes ces raisons, il semble donc très irréaliste de chercher désespérément à acquérir l'affection des autres, et il apparaît beaucoup plus opportun de consacrer ses efforts à se respecter et à s'aimer soi-même. Si je m'aime vraiment et m'accepte comme je suis, je ne perdrai pas beaucoup de temps ni d'efforts à me tourmenter avec ce que les autres peuvent penser ou dire de moi. Je m'engagerai dans les activités qui me plaisent vraiment, plutôt que dans celles à l'aide desquelles je tenterais d'obtenir l'affection des autres. Je ferai ce que je veux vraiment, ce qui ne veut pas dire que je me livrerai à toutes mes impulsions passagères, mais bien plutôt que j'organiserai intelligemment mon action pour atteindre les objectifs à longue portée qui soient les plus susceptibles de me satisfaire.

N'en viendrai-je pas ainsi à me soucier si peu des autres que mes relations interpersonnelles se détérioreront et que je me replierai de manière égoïste sur moi-même ? Cela semble peu probable puisque, même si j'abandonne la notion déraisonnable que j'ai *besoin* de l'affection des autres, je conserverai le *désir* de cette affection et de cette approbation. Je peux *désirer* très fort un grand nombre de choses : manger des tournedos, boire du Clos de Vougeot, écouter des concerts splendides et avoir des orgasmes paradisiaques, sans pour autant m'en créer des *besoins* et tout en me rendant compte très clairement que je pourrais fort bien me tirer d'affaire et ne pas être malheureux en mangeant du pain, en buvant de l'eau, en écoutant de la scie musicale et en étant impuissant. Rien ne m'empêche donc de rechercher et de désirer des contacts agréables où je reçoive l'affection des autres, sans pour autant les transformer en besoins vitaux.

D'autre part, une fois libéré du *besoin*, mais habité du *désir* d'être aimé, je me retrouve beaucoup plus capable d'*aimer* moi-même les autres, de m'engager sans appréhension dans des relations initialement peu gratifiantes, de passer sereinement à travers des périodes où ceux que j'aime ne me rendent pas mon affection. Je peux ainsi me permettre d'être patient, d'expérimenter toutes sortes de relations sans auparavant me demander avec angoisse si ces relations m'apporteront l'amour de l'autre. Paradoxalement, c'est en cherchant le moins possible à être aimé que je le serai le plus et, inversement, c'est en tentant avec rage d'être aimé des autres que j'en arriverai le plus souvent à être laissé de côté et à me mépriser moi-même. Quand je m'aime vraiment moi-même, je peux me dire en toute vérité que, même si j'en venais à perdre celui ou celle que j'aime, je ne pourrais jamais me perdre moi-même, puisque mon amour de moi ne dépend plus du sien. N'est-ce pas là une condition importante du bonheur?

Si vous constatez que vous avez en vous ce *besoin* désordonné d'être aimé des autres, comment pouvez-vous arriver à vous en débarrasser et à le remplacer par un *désir* plus raisonnable de leur affection? Toujours de la même manière que j'ai décrite au chapitre II. Il vous faudra d'abord reconnaître la présence de cette idée dans votre esprit, en observer les effets dans votre comportement, puis la *confronter* dans l'esprit et la *contredire* dans l'action.

Un jour, je reçus à mon bureau un appel téléphonique d'un homme d'une trentaine d'années qui, d'un ton haletant, me raconta que sa femme venait de lui annoncer qu'elle allait le quitter après cinq années de mariage, qu'il en était abasourdi, que sa vie s'effondrait et qu'il envisageait de se loger une balle dans la tête. Comme la situation semblait urgente, j'acceptai de le rencontrer tout de suite, en utilisant pour ce faire une partie du temps que je réserve habituellement à mon repas du midi. Nous étions un vendredi et je ne pouvais pas le recevoir de nouveau avant le lundi suivant, puisque je m'étais déjà engagé à prononcer une conférence dans une autre ville durant le week-end.

Le monsieur vint donc et après quelque vingt minutes passées à me raconter dans quel état désespéré il se trouvait, comme le temps nous pressait et que notre entrevue tirait déjà à sa fin, il me dit: «Dites-moi au moins quelque chose qui me permette de survivre durant les deux prochains jours jusqu'à ce que je puisse vous rencontrer lundi.»

Après quelques instants de réflexion, je lui répondis : « Je vous dirai deux choses : en premier lieu, tâchez de vous enlever de la tête l'idée fausse que vous *avez besoin* de l'amour de votre épouse. Je vois bien que vous désirez ardemment qu'elle vous aime plus que tout au monde, qu'elle vous aime au moins autant que vous l'aimez vous-même. Si vous y réfléchissez un peu, il vous apparaîtra clairement que vous n'avez pas besoin de cet amour à tout prix puisque vous avez vécu au moins pendant vingt-cinq ans *sans même la connaître*. À mon avis, vous avez donc grand avantage à expulser de votre esprit toutes les phrases qui commencent par : "J'ai besoin de…", sauf si elles se réfèrent à des éléments dont l'absence vous empêche vraiment de vivre. Vous avez besoin de manger, de boire, de dormir et de respirer pour vivre, mais il est faux que vous *ayez besoin* de l'amour de votre femme. C'est cette *idée*, plus que toute autre chose, qui est la cause de votre détresse actuelle. Or, *elle n'est même pas vraie*.

« En second lieu, continuai-je, tâchez le plus possible d'éviter de transformer en *catastrophe* intolérable ce qui est plutôt un événement très pénible et très désagréable de votre vie. Si vous ne voulez pas perdre la tête en fin de semaine, je vous encourage donc à tenir ces deux idées bien présentes dans votre esprit. Ce ne sont pas des idées optimistes, ni consolantes ni agréables, mais tout simplement des idées vraies. Cela vous donnera de meilleurs résultats que de vous enivrer, de vous épuiser au sport, de vous vider le cœur avec vos copains et, certainement, que de vous faire sauter la cervelle. »

Mon homme avait écouté ce petit discours sans mot dire, et il me quitta aussi en silence. Pendant les deux jours qui suivirent, je me demandai souvent comment il s'en tirait et s'il parvenait à n'admettre dans son esprit que des pensées rigoureusement exactes et réalistes.

Le lundi, il était de retour, beaucoup moins agité que le vendredi précédent. Il avait passé un week-end pénible mais avait tout de même réussi à ne pas s'effondrer ni à commettre d'actes irréparables. Sa situation conjugale s'était réglée de façon définitive ; sa femme l'avait quitté en ne lui laissant aucun espoir de retour.

« C'est un rude coup, dit-il. Je l'aimais vraiment et je l'aime encore. Mais je ne peux pas la retenir. Il est vrai que je n'ai pas besoin d'elle, mais combien j'aurais souhaité que nous vivions ensemble et soyons heureux ! Il me reste maintenant à rebâtir cette partie de ma vie qui s'est écroulée. Vous m'avez rendu un fier service, car je pense bien que je ne serais plus là aujourd'hui si vous ne m'aviez parlé comme vous l'avez fait vendredi dernier.

— Dites plutôt, répondis-je, que vous vous êtes rendu un grand service, en expulsant de votre tête les idées qui menaçaient de vous la faire perdre. Je ne vous ai dit que la vérité ; c'est vous qui vous êtes vous-même sauvé la vie et la santé mentale. »

Bien sûr, il s'agissait là d'une situation extrême, mais elle illustre combien la confrontation parvient à liquider, parfois très rapidement, des masses d'anxiété. Dans la plupart des cas, les résultats ne sont ni aussi rapides ni aussi spectaculaires, et il faut s'attendre à ce que les idées déraisonnables ne cèdent pas la place au premier coup de boutoir. Cependant, si la confrontation s'effectue avec force et détermination, elle sera beaucoup plus efficace que si elle n'est introduite que timidement et sans grande conviction. Volontarisme ? Mille fois non ! Décision et fermeté ? À coup sûr !

La principale méthode pour combattre votre besoin irréaliste d'affection et d'amour consistera donc : 1. à *constater* la présence de ce besoin en vous, principalement en prenant conscience des phrases que vous vous répétez à ce sujet ; 2. à *confronter* ces phrases avec la réalité et ainsi à constater qu'elles sont irréalistes et ne correspondent pas à la manière dont les choses sont ; 3. à *expulser* de votre esprit ces phrases délétères et à les *remplacer* par des pensées plus appropriées.

Vous pouvez aussi utiliser accessoirement d'autres méthodes pour vous aider à changer sur ce point. Ainsi, vous pouvez vous demander ce que *vous* voulez vraiment faire de votre vie, plutôt que de vous préoccuper de ce que d'*autres* voudraient que vous fassiez. Cela vous évitera de vous engager dans des actions que vous n'aimez pas accomplir, mais que la société qui vous entoure approuve et récompense. Vous n'aimez pas parler de politique? N'en parlez pas, même si on vous reproche d'être un citoyen ignorant et peu patriote. Vous préférez passer la soirée chez vous à lire tranquillement votre journal plutôt que d'assister à une conférence sur les problèmes du tiers-monde? Restez donc dans votre fauteuil, vous en avez parfaitement le droit, et si les autres s'indignent de votre manque d'intérêt et vous le reprochent, c'est *leur* problème, pas le vôtre.

Par ailleurs, cette attitude vous permettra de vous livrer à d'autres activités que vous trouvez agréables, mais que la plupart de vos contemporains jugeront déplacées, «pas à la mode». Personnellement, pour me reposer après de longues heures de travail, j'aime faire un peu de tapisserie. Je trouve plaisir à voir les couleurs émerger peu à peu de la toile, et comme cette activité ne demande presque aucune concentration, elle me permet de laisser flotter mon esprit dans un vague reposant. Bien sûr, ce sont presque toujours des femmes qui se livrent à cette activité, et si j'étais anxieux à propos de ma masculinité et que je voulais toujours faire ce qu'un homme est censé faire, je n'aurais jamais osé décorer les murs de mon bureau de mes productions. Mais voilà, je m'en fiche! J'aime faire de la tapisserie: je fais de la tapisserie. Combien de gens se privent de certaines choses qu'ils aimeraient faire, parce que «ça ne se fait pas»! Bon! Si, comme eux, vous voulez vous empoisonner la vie, c'est votre affaire!

Vous pouvez aussi vous aider beaucoup en mettant votre énergie à *aimer* les autres. Si vous êtes assez patient et assez tenace, vous finirez par découvrir quelque chose d'aimable chez tout être humain. Comme beaucoup de ces gens vous aimeront en retour, votre *désir* d'être accepté s'en trouvera satisfait et il vous deviendra plus facile de contrôler votre irréaliste *besoin* d'amour.

À ce propos, il vous sera utile de bien distinguer l'amour véritable de ce qu'on pourrait appeler une «intoxication interpersonnelle».

Tout le monde a entendu parler des affres que traverse un drogué qui se trouve soudain privé de sa dose habituelle de barbituriques. Il est hors de doute que la dépendance engendrée par l'usage de la drogue n'est pas seulement d'ordre physique, mais aussi, et peut-être avant tout, de nature psychologique. Il est intéressant de noter qu'un grand nombre de personnes présentent des symptômes analogues à ceux des drogués quand s'interrompt une relation dans laquelle elles s'étaient engagées. On a alors affaire à une relation qui était devenue, pour l'un et l'autre partenaires, une véritable drogue destinée à les protéger contre les chocs d'un monde menaçant. «Le monde peut bien être un enfer, mais avec toi, je me sens en sécurité.»

Une telle intoxication n'a rien à voir avec l'amour véritable, qui, loin de refermer les amants l'un sur l'autre dans une attitude craintive à l'égard de la réalité, les amène au contraire à s'ouvrir largement aux autres et à l'Univers, à entretenir des relations importantes non seulement l'un avec l'autre, mais aussi avec des personnes extérieures au couple.

Une relation interpersonnelle intoxicante ne tend finalement qu'à sa propre destruction, après avoir passé par une phase où, comme pour le drogué, les partenaires atteignent un niveau de tolérance où leur émotivité exige des doses de plus en plus fortes de «drogue interpersonnelle» pour réagir. D'autre part, chacun connaît les effets de la rupture soudaine d'une telle relation, et quelles manœuvres désespérées certains amants séparés emploient pour se procurer encore une « injection » de leur ex-partenaire. Ces idées ont été longuement développées par Peele et Brodsky (1974).

Enfin, comme nous l'avons déjà mentionné, ayez soin de ne pas confondre votre valeur personnelle avec le fait d'être aimé. Que l'on vous aime ne vous rend pas plus valable et qu'on vous déteste ne vous enlève rien. Les autres vous aimeront ou vous détesteront non parce que vous êtes bon ou mauvais, mais parce que vous leur plaisez ou leur déplaisez, ce qui est fort différent. Vous me direz qu'on aime ce qui est bon et qu'on déteste ce qui est mauvais. Je vous demanderai si vous aimez manger des chenilles ou des larves frites. Non ? Sont-elles pour autant mauvaises ? Si oui, comment se fait-il que certains autochtones d'Amérique du Sud s'en délectent ? « Mais, me direz-vous, si tout le monde me déteste, n'est-il pas vrai alors que je n'ai pas de valeur ? » Pas du tout. Si tel était le cas, vous perdriez ce qu'on pourrait appeler votre valeur extrinsèque, extérieure : vous n'auriez plus de valeur aux yeux de personne. Mais vous pourriez continuer à avoir votre pleine valeur à vos propres yeux, vous pourriez continuer à être valable *si vous le croyez*, non pas par une foi irrationnelle et aveugle, mais par une vision réaliste des choses. Ainsi, même dans des circonstances très défavorables, quand vous recevrez surtout du rejet de la part des autres, vous pourrez continuer à être persuadé de votre valeur personnelle, même si celle-ci, pour toutes sortes de raisons, n'est pas reconnue par votre entourage. Après tout, les choses n'existent pas uniquement parce que nous les percevons. Si je tourne le dos à la fenêtre et que je ne vois pas qu'il pleut, il n'en pleut pas moins ! Cette pluie est indépendante de ma perception, tout comme ma valeur personnelle est indépendante de sa reconnaissance par les autres.

Voilà donc quelques-uns des moyens que vous pouvez utiliser pour débarrasser votre esprit de cette première idée déraisonnable.

Il ne vous sert à rien de vous lamenter et de gémir sur le fait qu'on ne vous aime pas. Vous n'avez pas un *besoin vital* qu'on vous aime toujours et partout. Commencez par vous accepter vous-même de façon réaliste, sans exiger de votre part des raisons précises mais uniquement parce que vous êtes là, parce que vous existez. Cet amour que, peut-être, vous avez quêté avec tant d'inquiétude et d'anxiété viendra à vous plus sûrement si vous vous attachez d'abord à aimer les autres. Et n'allez pas croire qu'on ne peut aimer que si l'on a d'abord été soi-même aimé par un autre. C'est un bel argument qu'emploient parfois mes consultants, mais qui est rigoureusement inefficace et qui témoigne d'une incompréhension de ce qu'est l'amour véritable. Comme l'a brillamment démontré Erich Fromm, l'amour « ne relève pas seulement de la puissance du sentiment mais d'une décision, d'un jugement, d'une promesse », donc d'une activité de la *volonté* (Fromm, 1968, p. 75).

Si j'ai d'abord connu l'amour gratuit de quelqu'un pour moi, il me sera sans doute plus facile d'aimer les autres, mais cet amour n'est pas une condition essentielle à mon amour pour les autres. Ce qui semble davantage nécessaire pour que j'aime les autres, c'est que je m'aime moi-même. Pour ce faire, comme je n'ai pas besoin d'autre chose que de constater ma valeur intrinsèque, il s'ensuit que je puis toujours, avec plus ou moins de difficultés, aimer les autres lorsque je m'aime moi-même, et à la mesure même de cet amour. Ce n'est pas autre chose qu'exprime le précepte biblique : « Tu aimeras ton prochain *comme toi-même*. »

CHAPITRE VI

« JE DOIS RÉUSSIR... »

Comme nous venons de le voir dans le chapitre précédent, si un être humain veut se rendre malheureux, il lui suffira de croire qu'il a besoin de l'amour et de l'approbation de presque toutes les personnes importantes pour lui dans son entourage. Mais il peut s'empoisonner l'existence de façon plus complète en ajoutant foi à une deuxième idée : *il doit réussir parfaitement tout ce qu'il entreprend,* en adoptant, autrement dit, une attitude *perfectionniste.*

Je peux vous affirmer que cette idée est sûrement l'une des plus répandues dans notre société. Les individus qui, sur un point ou un autre, s'imaginent devoir atteindre un succès parfait, défilent dans mon bureau avec une régularité désolante. Il me suffit de relire n'importe quelle page de mon carnet de rendez-vous pour nommer tout de suite des dizaines de personnes possédées par cette notion.

Voici Jérôme qui n'ose jamais exprimer son opinion dans un groupe, parce qu'il a peur que ce qu'il dirait ne soit pas absolument *parfait* et lui attire les critiques de ses auditeurs. Voici Caroline qui n'ose pas accepter les invitations à des sorties et à des soirées, de peur que les hommes qui l'invitent ne découvrent qu'elle ne s'y connaît pas beaucoup en littérature, que son information sur l'actualité politique et culturelle est loin d'être *parfaite*. Voici Émile à qui l'on a demandé d'écrire un article pour une revue scientifique sur un sujet qu'il connaît bien et sur lequel il a fait des recherches spéciales mais qui n'arrive pas à le produire, redoutant encore que l'article ne soit pas *parfait* et inattaquable. Voici Jean-Luc qui vit dans la hantise continuelle de perdre son emploi, parce qu'il est persuadé que son patron ne saurait lui pardonner les quelques erreurs qu'il y commet et qui rendent son travail *imparfait*. Voici Claude qui ne peut jamais parvenir à une relation sexuelle satisfaisante avec sa femme, tant est grande son anxiété de ne pas lui procurer le bonheur *parfait*.

On pourrait continuer cette liste pendant bien des pages encore et je suis certain que vous pouvez, tout simplement en regardant autour de vous, constater la présence d'innombrables êtres humains qui croient éperdument qu'il leur faut à tout prix réussir parfaitement ce qu'ils entreprennent.

Passons quelque temps à réfléchir à cette idée et à comprendre pourquoi elle ne correspond pas à la réalité et est donc hautement déraisonnable.

En premier lieu, il est facile de constater que rien n'est parfait dans ce monde et que *personne* ne réussit parfaitement non seulement sa vie entière, mais même aucune des innombrables actions qui en tissent la trame. Non seulement n'existe-t-il pas d'œuvre d'art *parfaite*, de découverte scientifique *parfaite*, de réflexion philosophique *parfaite*, mais même la tarte aux prunes *parfaite* n'existe pas, pas plus que la vitre *parfaitement* lavée. Même des génies comme Léonard de Vinci, Einstein, Platon ou Vatel (que son perfectionnisme culinaire conduisit d'ailleurs à la mort!) ont dû commettre de nombreuses erreurs et imperfections toute leur vie. Il n'est tout simplement pas possible à un être humain d'agir parfaitement; ce n'est pas là une chose déplorable ou désastreuse, c'est simplement une chose normale. On ne peut pas s'attendre à autre chose qu'à ce qu'un être imparfait commette sans cesse des erreurs et des imperfections. Cela fait partie de sa nature : les oiseaux volent, les poissons nagent, les vaches mangent du foin et les humains font des erreurs ! Si, donc, je me fixe comme objectif de faire ne fût-ce qu'une seule chose parfaitement, je ne peux aboutir qu'à l'échec et, conséquemment, au désappointement. Le perfectionnisme ne mène toujours qu'au même résultat : la frustration, la déception et la dépression.

En deuxième lieu, comme nous l'avons déjà mentionné à propos de l'idée déraisonnable précédente, le succès n'est en aucune manière relié à la valeur personnelle. Le succès n'augmente pas ma valeur d'un iota, pas plus que le fait d'être aimé ne la modifie. Quand je remporte un succès, je me *sens* naturellement mieux que je ne me sentais auparavant. Mais cela ne veut pas dire que je *suis* une meilleure personne maintenant. C'est là encore confondre la personne avec ses actes, croire que je suis *bon* parce que je réussis bien et *mauvais* parce que j'agis de façon inadéquate.

Je me souviens d'une discussion ardue sur ce point avec Caroline, qui soutenait avec rage que certains êtres humains sont meilleurs en eux-mêmes que d'autres.

« Vous n'allez tout de même pas prétendre, disait-elle, que l'idiot congénital, l'imbécile enfermé pour toujours dans un hôpital psychiatrique, a autant de valeur que les grands bienfaiteurs de l'humanité ?

— Sans aucun doute, puisque ces idiots et ces bienfaiteurs sont tous des êtres humains et que, comme tels, ils ont tous exactement la même valeur en *eux-mêmes*. Je reconnais facilement que le bienfaiteur de l'humanité est plus *utile*, qu'il pose des actes beaucoup plus appropriés que l'idiot, mais cela ne change rien à sa valeur comme être humain.

— Ainsi, moi, Caroline, j'ai autant de valeur que, disons, Marie Curie ?

— C'est exact. Tu ne feras sans doute jamais de découverte importante comme celle du radium, mais il n'en reste pas moins vrai que, puisque tu tiens ta valeur uniquement du fait que tu es vivante, que tu existes, cette valeur intrinsèque est égale à celle de n'importe quel autre être humain. Si tu en étais vraiment persuadée, tu ne passerais pas ton temps à redouter que tes éventuels compagnons ne découvrent l'imperfection de ta culture et de ton information, puisque cette carence n'affecte en rien ta valeur fondamentale. Tu pourrais ainsi nouer bon nombre de relations agréables, plutôt que de te retrouver toujours seule à ruminer ton imaginaire manque de valeur ! »

Soulignons, en troisième lieu, que la volonté fanatique de toujours réussir parfaitement ce qu'on entreprend est de nature à gâter presque tout le plaisir qu'on peut prendre à vivre. Combien d'hommes d'affaires, par exemple, ne sont-ils pas des victimes de ce qu'on pourrait appeler le « syndrome du succès » ! Ils travaillent comme des forcenés, revenant chaque soir à la maison avec une serviette bourrée de documents à revoir, incapables de se reposer vraiment, empoisonnant leur vie et celle de leurs proches. Fernand agissait ainsi depuis des années. Il s'était mis dans la tête qu'il devait gagner son premier million avant l'âge de trente ans. Dès lors, rien d'autre n'avait d'importance à ses yeux. Il travaillait seize heures par jour, passait ses fins de semaine à jouer compulsivement au golf avec des clients éventuels. Il prenait à peine le temps de manger, avalait des calmants à la poignée. Sa femme devait presque lui demander un rendez-vous pour le rencontrer.

À trente ans, il avait amassé son million. Il avait aussi récolté un ulcère perforé au duodénum et était devenu un candidat privilégié à l'infarctus. Sa femme parlait de séparation, ses enfants donnaient des signes de détresse, et il était en train de gâcher sa vie. Même ses meilleurs amis commençaient à l'éviter puisqu'il en devenait ennuyant : il ne pensait, ne rêvait, ne parlait que d'une chose : les affaires.

On peut aussi ajouter que la hantise du succès à tout prix recouvre habituellement le désir de dépasser les autres, de faire mieux qu'eux, de remporter la victoire dans un combat imaginaire contre ses compétiteurs. Pourtant, il suffirait d'un moment de réflexion pour réaliser que les autres sont les autres et que je suis moi. Encore une fois, le fait que mes succès dépassent les leurs n'a rien à voir avec ma valeur personnelle, et ce ne peut être que par une pensée magique que je m'imagine que je suis moins bon parce qu'ils sont meilleurs que moi, sous un aspect ou sous un autre. J'en arrive ainsi à ce que Maslow appelle être « dirigé par l'autre » (Maslow, 1968, p. 34). Ce n'est pas moi qui agis directement ; mon action est dirigée de l'extérieur, au hasard des personnes que je rencontre et que je laisse m'influencer. Ma vie devient celle d'un pantin, d'une marionnette dont les autres tirent les ficelles. Il suffit que je rencontre, que j'entende parler d'un meilleur golfeur, d'un meilleur artiste, d'un meilleur ingénieur, d'un meilleur typographe que moi, ou même seulement que je me l'imagine, pour me voir habité par une rage compétitive insensée.

D'un autre point de vue, l'exigence du succès parfait peut avoir pour effet de bloquer ou de paralyser toute initiative. On a alors tellement peur de se tromper et d'agir imparfaitement, qu'on ne fait plus rien du tout. C'est le cas d'Émile, dont nous avons parlé plus haut, et qui n'écrira jamais cet article sans auparavant chasser de son esprit l'idée absurde qu'il doit être au-dessus de tout reproche. C'est le cas de Claude dans ses relations sexuelles. L'exigence de perfection dans ce domaine a de quoi faire perdre l'érection à un rhinocéros en rut.

Comme les sexologues le répètent, les sources de l'impuissance masculine sont variées. On peut mettre en cause la fatigue, l'inquiétude portant sur toutes sortes de sujets, le non-attrait pour le partenaire sexuel, l'excès d'alcool, la maladie (McCary, 1967). Mais aucune de ces causes n'expliquait l'impuissance de Claude. Il n'était pas particulièrement fatigué ni malade, n'avait pas de sujets d'inquiétudes marqués; il adorait sa femme et ne touchait pas à l'alcool. Ce n'est que pas à pas que nous en arrivâmes à découvrir qu'il se fixait lui-même des objectifs perfectionnistes dans ses relations conjugales. En somme, il se répétait: « Je dois à tout prix réussir cette activité si importante pour notre bonheur à tous deux. C'est une activité difficile et complexe et je *dois* absolument et chaque fois procurer à ma femme un plaisir maximal. » Comme il était arrivé à Claude, comme à n'importe qui, de « manquer son coup » à l'occasion pour l'une ou l'autre des raisons énoncées plus haut, il en était venu à se dire: « Ah! mon Dieu. J'ai manqué mon coup. C'est bien possible que j'échoue encore la prochaine fois. Ma femme va croire que je suis impuissant, au fond, ou elle va croire que je ne l'aime plus et elle va peut-être me délaisser à cause de ma minable performance. Il se pourrait même qu'elle en conclue que je suis un homosexuel déguisé. Il ne faut plus que j'échoue *jamais.* »

Il est facile de comprendre qu'avec de telles pensées en tête, Claude abordait les contacts sexuels avec la même anxiété que la fin du monde et qu'en conséquence son pénis restait aussi inerte qu'une baudruche dégonflée.

Claude était vraiment désespéré quand il arriva à mon bureau. « Je sais bien que c'est mon anxiété qui me rend impuissant, disait-il, mais comment puis-je m'en débarrasser? J'ai juste à penser à la prochaine fois pour être persuadé que ça n'ira pas encore.

— Cela n'ira sûrement pas tant que tu continueras à te répéter toutes ces phrases que tu as dans la tête. Tu es toujours à te dire qu'il faut absolument que tu aies une érection magnifique à chaque contact sexuel, que c'est une catastrophe si tu n'y parviens pas et que chaque expérience amoureuse doit être pour vous deux un sommet. Mais tout cela est-il *vrai*?

— Il faut tout de même que j'aie une érection! Rien à faire sans cela.

— Ah oui? En voilà une bonne! Ainsi, tous les préliminaires, toutes les caresses, tous les attouchements n'ont aucun intérêt pour toi? Ta femme et toi n'y trouvez aucun plaisir?

— Pas tant qu'ils ne mènent pas à une érection et à l'éjaculation chez moi.

— Mais voilà le tracas. Tu es tellement obsédé par l'idée de réussir un contact sexuel parfait que tu te prives du plaisir considérable que tu pourrais retirer à tout simplement caresser avec amour ta femme, sans te préoccuper d'arriver à tout prix à l'érection et à l'éjaculation. Et de cette manière, tu n'aboutis qu'à un échec total: tu n'as ni plaisir, ni érection, ni éjaculation, seulement de l'anxiété. Tu ferais mieux de te dire: "J'aimerais bien avoir une érection, mais cela n'est pas *nécessaire* ni *indispensable*. Il n'y a rien au monde qui dise que je doive avoir une érection magnifique. Au lieu de me concentrer sur la pseudo-nécessité d'avoir cette érection, je vais centrer mon esprit sur le plaisir que nous pouvons retirer tous les deux à nous caresser mutuellement. Si j'ai une érection, tant mieux. Si je n'en ai pas, cela n'est ni terrible ni catastrophique, mais seulement déplaisant. J'aurai au moins eu le plaisir non négligeable de me sentir bien en enlaçant ma femme." Si tu crois vraiment à la vérité évidente de ces phrases, si tu ne te laisses pas aller encore subtilement à te dire qu'il *faut* que tu réussisses à la perfection, ton organisme va bientôt réagir et tu vas probablement bientôt obtenir des érections telles que tu n'en as jamais même rêvé.»

Claude parvint enfin à se convaincre de la vérité de cette approche. Sa femme et lui en parlèrent ouvertement et résolurent de laisser de côté toute préoccupation exagérée au sujet de ses érections et de se mettre plutôt à s'amuser tout bonnement ensemble. En trois jours, Claude était parvenu à des contacts sexuels complets et très satisfaisants pour lui et sa femme, tels qu'ils n'en avaient pas connus depuis longtemps. Ses érections se manifestèrent à nouveau presque dès le moment où il cessa de les exiger et qu'il chassa de son esprit l'idée que le seul contact sexuel valable devait être un contact complet.

Plutôt que d'exiger à tout prix la réussite totale dans tout ce que nous entreprenons, il semble donc bien plus réaliste pour chacun d'entre nous de consacrer ses énergies à agir, plutôt qu'à agir *parfaitement*.

Comme le souligne Selye, l'activité est une nécessité biologique et «il est peu de choses qui apportent autant de frustrations que l'inactivité absolue et l'absence de tout stimulant» (Selye, 1974, p. 140). L'action, par elle-même, n'est pas ordinairement source de tension, mais, comme toujours, c'est l'attitude avec laquelle on s'y engage et, avant tout, l'exigence absolue de succès qui sont la cause des phénomènes d'anxiété et de «stress».

Ce qui ne veut pas dire que le succès ne soit pas désirable et agréable, pas plus, comme nous le disions plus haut, que l'estime et l'affection des autres n'aient aucune importance. Mais qu'une chose soit désirable ne la rend pas indispensable. Il semble bien plus raisonnable de jouir d'abord de l'action elle-même, et seulement accessoirement du succès qui la couronnera peut-être. Dans beaucoup de domaines, il faut qu'il y ait un perdant. C'est le cas d'un grand nombre de sports et d'autres activités de compétition. Il est facile de s'imaginer quels sentiments différents habitent deux joueurs de tennis, le premier qui doit absolument gagner le match, et le second qui joue d'abord pour s'amuser, tout en aimant bien gagner s'il le peut. L'un et l'autre perdent leur match respectif, mais le premier, à cause des idées qu'il nourrit dans son esprit, a aussi perdu son après-midi et ne recueille que désappointement et frustration. Le second s'est bien amusé ; il s'est livré à une activité physique saine et emporte avec lui la satisfaction d'avoir passé d'agréables moments. Cela ne l'empêche pas de s'appliquer avec ardeur à améliorer sa performance et à devenir un meilleur joueur de tennis, puisqu'il retirera un plaisir d'autant plus grand de cette activité qu'il y sera devenu expert, mais cette application ne lui donnera jamais de maux d'estomac tant qu'il ne s'imaginera pas qu'il lui *faut* battre son adversaire. Tant qu'il essayera de jouer de son *mieux* plutôt que de jouer *mieux que l'autre*, il n'expérimentera pas d'émotions désagréables. Tant qu'il sera persuadé que s'il perd tous ses matchs, n'arrive pas à maintenir ses érections, fait des erreurs nombreuses à son travail, ignore qui a écrit la *Symphonie fantastique* ou sculpté le *Penseur*, ne sait pas combien tel ou tel parti a obtenu de sièges aux dernières élections, tant donc qu'il sera clairement persuadé que toutes ces déficiences ne font pas de lui un ver de terre à peine digne de ramper sur la planète, mais bien un être humain faillible et imparfait, ce qui est la stricte *vérité*, il ne sera sujet ni à l'angoisse, ni à la dépression, ni à la fureur, ni au stress, ni aux ulcères d'estomac. Mais qu'il se mette à confondre ses *désirs* avec des *exigences*, à transformer ses *souhaits* en *nécessités*, et voilà la porte ouverte à tous ces maux !

Quand Pierrette vint me rencontrer, elle ne valait guère mieux à ses yeux que le dernier des derniers. Enseignante au primaire, elle se plaignait de manquer d'imagination dans son travail, de ne pas réussir toujours à intéresser vivement les enfants de sa classe, d'être, par conséquent, une piètre éducatrice que ses employeurs gardaient à leur service probablement par pitié. Cette attitude perfectionniste ne s'étendait pas seulement à son travail professionnel, mais déteignait sur l'ensemble de sa vie. Un de ses amis parlait-il du dernier spectacle d'un chansonnier à la mode qu'elle se devait d'y aller sous peine de ressentir de graves sentiments d'infériorité. Comme elle avait grandi dans un milieu rural, elle n'avait pas eu l'occasion de visiter beaucoup de pays. Ses compagnes parlaient elles de leurs voyages en Grèce, en France, en Espagne qu'elle s'envolait déjà vers la France, pour un séjour prolongé à la faveur duquel elle sillonnerait l'Europe dans tous les sens. Pensez-vous qu'elle fut mieux à son retour ? Pas le moindrement. Il suffisait que quelqu'un dise : « As-tu vu l'Alhambra à Grenade ? » pour qu'elle sente, n'y étant pas allée, sa pseudo-supériorité s'effondrer de façon lamentable. Elle acceptait si peu de ne pas réussir que le plaisir qu'elle aurait pu prendre à simplement *vivre* et *agir* lui échappait complètement et que sa vie, en conséquence, lui apparaissait bien terne. Comme on peut s'y attendre, elle était aussi possédée par le besoin d'être aimée et recherchait avec avidité toutes les personnes qu'elle croyait susceptibles de lui donner un peu d'affection. Sans compter qu'elle devenait ainsi une proie facile pour tout un cortège d'exploiteurs, elle ne réussissait en général qu'à éloigner d'elle les gens qui l'auraient vraiment aimée, mais qu'elle exaspérait par sa dépendance et son perfectionnisme.

Ce ne fut pas un mince travail que de l'amener à réaliser qu'elle gaspillait toute sa vie en nourrissant dans son esprit ses pensées perfectionnistes. Elle résistait comme tous les diables, allant même jusqu'à citer des passages des Évangiles, du genre « Soyez parfaits comme votre Père céleste est parfait » et appelant à sa rescousse tous les psychologues qui avaient parlé du *besoin* d'accomplissement. Elle me traitait de faux prophète, d'esprit défaitiste, de philosophe à la manque. Avec le temps et d'innombrables échanges, elle en vint enfin à se convaincre de l'inanité de ses idées et sembla prête à se mettre à les confronter. Ses premiers essais de confrontation furent, comme on peut s'en douter, loin d'être efficaces. Aussi arriva-t-elle à une entrevue subséquente en proclamant : « Je ne suis même pas capable de confronter mes idées adéquatement. Je ne réussis même pas à me convaincre que je n'ai pas besoin de réussir. Voilà bien qui prouve que je ne vaux rien et que je ne vaudrai jamais rien. Je ne suis même pas capable de faire ma thérapie convenablement !

— … et, continuai-je, je suis un ver de terre, une limace, une punaise, un être affreux et méprisable. Voyez comme je suis bête et stupide. J'aurai au moins gagné ce championnat-là : il n'est sur terre d'être plus imbécile que moi.

— Mais ne voyez-vous pas que je ne serai jamais capable de m'en sortir ? cria-t-elle. Que tous mes efforts ne donnent rien ?

— Ce que je vois, c'est que tu continues à nourrir dans ta triste caboche tout ton cortège d'idées absurdes et que tu viens même d'en acquérir une nouvelle, à savoir qu'*il faut* que tu réussisses une thérapie parfaite, que tu fasses des confrontations *parfaites,* que tu sois l'étoile des consultants et des consultantes que je reçois ici et que je sois ébloui par la manière géniale dont tu te sors de ta névrose.

— Mais je veux réussir ma thérapie, je veux vraiment m'en sortir et mener une vie heureuse !

— Sans doute, mais tu prends ce désir, tout à fait légitime et adéquat, et, selon ta vieille habitude, tu le transformes en une exigence perfectionniste. Ainsi, le fait que tu ne réussis pas très bien à confronter tes idées ne démontre pas que tu ne vaux rien, mais simplement que tu n'as pas encore appris à le faire convenablement.

— Donc, cela ne me sert à rien de vouloir confronter mes pensées, de vouloir me cultiver, de vouloir réussir à faire une classe intéressante ?

« — Pas du tout, au contraire, puisque ce sont là toutes des choses fort utiles pour toi et susceptibles de t'apporter beaucoup de plaisir dans la vie. Mais débarrasse-toi du désir absurde de faire toutes ces choses parfaitement.

— Mais que faut-il que je fasse pour cela ?

— Il ne *faut* pas que tu fasses rien — encore une exigence absolue ! —, mais tu aurais grand avantage à te redire la vérité, à savoir que tu n'es pas un être parfait, pas un dieu, pas un ange, mais un être humain limité et faillible, que tu ne réussiras jamais à faire la moindre chose parfaitement, que cela est tout à fait normal, que les erreurs et les imperfections feront toujours partie de ta vie et que tu ferais mieux de concentrer tes efforts à trouver ce que tu aimes vraiment faire et à le faire de ton mieux. »

Nous eûmes encore bien des rencontres ; un perfectionnisme aussi ancré que celui de Pierrette ne laisse pas la place facilement. Aujourd'hui, Pierrette continue à lutter contre ses exigences de perfection. Elle a appris à se fier à ses goûts personnels dans le choix de ses activités et elle a plus de facilité à prendre des initiatives, l'échec ne lui apparaissant plus comme une atteinte à sa valeur personnelle.

Il lui reste encore un bon bout de route à parcourir avant d'être tout à fait débarrassée — elle ne le sera jamais parfaitement ! — de ses tendances. Elle *exige* de moins en moins, mais continue à *désirer*. Elle est aussi beaucoup plus heureuse.

CHAPITRE VII

« JE SUIS UN MISÉRABLE... LES AUTRES SONT DES SALAUDS »

Dans le présent chapitre, je veux étudier avec vous les inconvénients qui découlent des sentiments de culpabilité et de blâme reportés sur les autres, et explorer les idées irrationnelles qui sous-tendent ces sentiments si inconfortables. De tous les sentiments pénibles qui habitent le cœur des hommes, ceux-ci sont probablement les plus mordants, les plus amers, et leur présence porte les êtres humains à ériger contre eux de multiples mécanismes de défense allant de la négation pure et simple à la sublimation, en passant par la rationalisation.

Ces sentiments trouvent leur source dans la troisième idée irrationnelle, laquelle peut se formuler comme suit : *Certaines personnes sont méchantes, mauvaises et méritent d'être sévèrement blâmées et punies de leurs fautes.*

Cette idée donne naissance à tous les sentiments de culpabilité, au blâme vis-à-vis de soi et des autres, à toutes les haines, à l'hostilité et à la fureur, de même qu'aux actes qu'entraînent souvent ces émotions, comme l'autopunition masochiste, l'agression contre l'autre et la vengeance.

Examinons les éléments du réel qui nous feront constater que cette idée est absurde à plus d'un point de vue.

En premier lieu, on peut répéter ici que confondre une personne avec ses actes est abusif. Il ne s'agit pas de nier l'évidence et d'affirmer qu'il n'existe pas de personnes qui commettent des actes répréhensibles, inadéquats, voire délétères. Tout au contraire. Tous les êtres humains commettent de tels actes plus ou moins fréquemment, depuis le petit garçon qui pince sa sœur jusqu'au tyran qui condamne des millions d'êtres à une mort injuste. Chacun n'en demeure pas moins un être humain et est, comme tel, doté d'une valeur intrinsèque que ses actes bons ne sauraient augmenter ni ses actes mauvais diminuer. Il faut d'ailleurs se rendre compte que l'être qui pose des actes mauvais peut toujours cesser de les poser, changer sa manière de vivre et se mettre à faire de bonnes actions. Ses actes mauvais ne découlent donc pas de sa nature intime puisque, par définition, celle-ci est immuable (un cheval ne peut pas devenir un homme ni un homme devenir un ange), et que s'il existait des êtres humains fondamentalement et naturellement mauvais, je ne pourrais plus comprendre comment ils pourraient *changer*. Ainsi donc, appeler quelqu'un un misérable, un pécheur, un méchant implique que, parce qu'il pose des actes mauvais, il est intrinsèquement mauvais, ce qui est faux. En le désignant ainsi, je tire la conclusion que, parce que dans le passé il a fait des gestes mauvais, il doit fatalement continuer à faire de même dans le futur, ce qui est contredit par l'expérience.

En deuxième lieu, il est important de se rappeler que la psychologie moderne — tout en n'affirmant pas que l'homme ne possède aucune liberté, c'est-à-dire aucune capacité de choix — a démontré qu'il est loin de détenir une liberté complètement développée à l'âge adulte. Au contraire, on a pu démontrer que l'éducation première, les conditions familiales, le contexte social introduisent un grand nombre de conditionnements inconscients qui viennent sérieusement limiter l'expression de la liberté humaine. Une fois qu'un être humain a appris à vivre d'une certaine manière et s'est mis dans la tête un certain nombre d'idées constituant sa philosophie de base, il lui est difficile de changer. Cela n'est toutefois pas impossible, mais votre propre expérience a dû vous démontrer que cette entreprise est ardue et rendue encore plus difficile par le fait que la plupart d'entre nous ne sont même pas conscients de la nature exacte de ces conditionnements et de cette philosophie de la vie. Ainsi, quand je reproche à un être humain ses actes inadéquats, je me trouve à présupposer chez lui une liberté de choix qu'il ne possède probablement pas. Mon reproche est donc irréaliste, qu'il s'adresse à moimême ou aux autres.

En troisième lieu, il est important de se rappeler combien les concepts de « bon » et de « mauvais » varient d'une culture à une autre, d'une période historique à une autre. Il n'est pas si aisé de distinguer le bien du mal, même à l'intérieur d'un identique contexte social. Les innombrables discussions des moralistes au cours des siècles devraient en offrir une preuve suffisante. Certaines cultures ont jugé dignes du dernier châtiment des actes que d'autres cultures ont jugés vertueux. Le prêt à intérêt a été tenu pour peccamineux par l'Église chrétienne à un moment de son histoire, puis admis comme parfaitement légitime quelques siècles plus tard. Au nom des mêmes Évangiles, on a condamné les hérétiques au bûcher pour plus tard rejeter de telles pratiques. Il ne s'agit pas de pousser les hauts cris et de s'indigner de l'inconstance et de l'hypocrisie des hommes, mais bien plutôt de constater qu'il est prudent de ne pas se hâter de conclure que tel geste est bon et tel autre mauvais.

Par ailleurs, si je blâme quelqu'un d'avoir enfreint une règle morale, je l'amène le plus souvent à l'une des deux attitudes inadéquates suivantes : ou bien il se dépréciera lui-même, se disant : « J'ai posé un acte mauvais ; quel misérable je suis ! », concluant erronément avec moi que s'il pose des actes mauvais, c'est qu'il est lui-même mauvais – et voici le chemin ouvert à la dépression et à la dévalorisation de soi ; ou bien il tentera de se justifier, de rationaliser son acte inadéquat, de lui trouver de « bonnes raisons » ou même de nier carrément qu'il l'a posé – et voilà le chemin ouvert à l'hypocrisie, à la fuite de ses responsabilités, au mensonge.

Pourtant, la justification de l'existence même de la règle morale est d'amener celui qui pose un acte mauvais à constater son caractère mauvais et à orienter son action future dans une direction plus appropriée. Le blâme empêche justement cette démarche saine de se produire ; celui qui est blâmé ou qui se blâme lui-même est trop occupé à se dévaloriser lui-même, à se vautrer dans le remords ou, au contraire, à se justifier et à défendre son action pour en arriver à se préoccuper de la corriger. De tous les sentiments inutiles et nocifs qui habitent l'esprit des hommes, je n'en connais pas d'aussi délétères et d'aussi absurdes que le sentiment de culpabilité. Il produit chez les gens que je connais des ravages vraiment terribles ; ils ont alors si peur de se tromper, de faire des gestes mauvais et de ressentir en conséquence les morsures de la culpabilité qu'ils en viennent souvent à une passivité, voire à une inertie qui gâte toute leur vie. C'est le cas du scrupuleux religieux pour qui tout devient une occasion de péché et qui, en conséquence, se retrouve prisonnier d'un système infernal où il se reproche tout, même sa passivité. Je ne connais pas de meilleur système pour perdre la tête !

Un autre point mérite considération. Quand je reproche à un autre d'avoir agi d'une certaine manière, je me trouve par le fait même à affirmer qu'*il n'aurait pas dû* agir de cette manière ou poser tel acte. Tout se passe comme si je me disais : « Eulalie a agi d'une manière qui me déplaît (par exemple, elle a couché avec un autre homme). *Parce que* son acte me déplaît, elle n'aurait pas dû le poser ; elle est *coupable* d'infidélité.» Cette phrase est rigoureusement absurde, puisqu'il n'existe aucune démonstration possible que, parce que certaines choses me déplaisent, elles ne devraient pas se produire. C'est là une pensée typiquement infantile, qui fait penser à l'enfant qui trépigne parce qu'il pleut alors qu'il voudrait aller pique-niquer ou qui pleure parce que son père refuse de lui acheter un ballon. Je ne peux pas *imposer* mes désirs, même légitimes, aux autres, ni les blâmer parce qu'ils choisissent de ne pas y correspondre. Sans doute aimerais-je mieux qu'Eulalie ne couche qu'avec moi, mais ce désir ne se transforme pas pour elle en obligation. Quand donc je la blâme de son geste, mon blâme ne vient pas du geste qu'elle a fait, mais de ma vision de moi-même comme d'un être dont les désirs font loi. Si je me fâche contre elle et lui reproche violemment sa conduite, c'est que je me considère moi-même comme un être ayant des désirs auxquels les autres *doivent* répondre ; je me prends pour le centre de l'Univers ; le soleil et la pluie doivent m'obéir, les autres doivent vivre et régler leur action en fonction de mes préférences et toute infraction à ce code est sévèrement punissable.

La vérité est que le soleil et la pluie se fichent éperdument de moi et de mes désirs et qu'il n'y a rien qui démontre que les autres êtres humains soient tenus de satisfaire mes désirs. Au contraire, il serait plus réaliste de ma part de leur reconnaître le droit entier d'agir comme ils le désirent, de me reconnaître ce même droit et de cesser mes saintes colères quand ils ne font pas ce que je voudrais qu'ils fassent.

Idéalement, notre moralité aurait avantage à se baser sur notre intérêt personnel conçu de façon intelligente, ce qui éviterait tant de rébellions absurdes contre des obligations morales perçues comme écrasantes. Ainsi, je me garderai de faire du tort à mon voisin, non pas parce que cela est méchant ou mauvais, mais parce que je me rends compte que si j'agis ainsi, il pourra être porté à me traiter comme je le traite et que je m'en trouverai mal. Même si je peux prévoir que j'échapperai à sa vengeance, soit parce qu'il ne saura pas que c'est moi qui lui ai causé du tort, soit parce qu'il est trop faible pour se défendre, je ferais quand même mieux d'éviter de lui nuire puisque, ce faisant, je contribue à édifier un monde où sévissent le mal et l'injustice, monde dans lequel je ne veux pas vivre, puisque ces phénomènes finiront tôt ou tard par porter atteinte à mon intérêt personnel. Il est intéressant de retrouver une argumentation analogue chez un penseur scientifique comme Hans Selye, qui démontre longuement et de façon convaincante les bases biologiques de cette éthique. Il explique l'un de ses ouvrages comment ce qu'il appelle l'*égoïsme altruiste* est la base même de l'harmonie entre les êtres et le facteur constitutif d'un monde équilibré (Selye, 1974, p. 136-143).

Ainsi, si je nuis à mon prochain, c'est à moi-même que je nuis finalement, et j'aurai avantage à rejeter de ma conduite tous ces actes, non parce qu'ils sont mauvais ou méchants, mais parce qu'au bout du compte, ils risquent de diminuer mon propre bonheur.

D'autre part, si mon voisin agit mal envers moi, il est logique de croire que mon objectif devrait être de trouver les moyens de rendre moins probable la répétition des gestes qui me déplaisent ou me nuisent. Il est fort douteux que je parvienne à ce résultat en le blâmant et en m'irritant contre lui ; je risque beaucoup ainsi de l'amener à répéter ou même à intensifier ses actes déplaisants, puisqu'il sera porté à me rendre la monnaie de ma pièce et à me détester autant que je le déteste.

L'un de mes consultants, Guillaume, se plaignait que sa femme se comportait de façon désagréable avec lui, que les repas n'étaient jamais prêts à temps, que la maison était un fouillis, qu'elle l'accueillait toujours avec une longue figure. « Mais alors, que fais-tu ? lui demandai-je.

— Je me choque… je fais des colères. L'autre jour, je lui ai flanqué une paire de gifles… elle l'avait bien méritée !

— Mais… ton objectif n'est-il pas d'en arriver à ce qu'elle t'accueille bien, mette la maison en ordre et te prépare de bons repas à temps ?

— Bien sûr… ce serait déjà beaucoup.

— Je ne sais pas comment tu vas parvenir à ce résultat en la brutalisant. Quel a été l'effet de tes gifles ?

— Elle a pris ses valises et est partie chez sa mère pour une semaine.

— Et pendant cette semaine, pas de repas à temps ni d'ordre dans la maison…

— Évidemment. J'ai dû faire ma propre popote en sacrant contre elle.

— Tu ferais mieux de ne blâmer personne, ni elle ni toi, mais plutôt de constater que tes colères viennent des idées que tu te fais. Tu dois te dire que ta femme *devrait* avoir un air aimable, tenir la maison en ordre et te préparer les plats que tu aimes.

— Bien sûr… c'est ça le devoir de toute bonne épouse. C'est ce que je lui répète sans arrêt.

— Ah oui ? Je voudrais bien que tu me montres quelle loi sur terre, au ciel ou dans les enfers te permet d'affirmer que tel est le *devoir* d'une épouse ! Tu te prends pour le législateur de l'Univers et tu ériges en loi absolue tes préférences et tes goûts.

— Mais voyons, vous n'allez tout de même pas dire qu'elle a raison et que j'ai tort d'exiger un minimum de diligence et de soin de sa part !

— Je ne dirai ni qu'elle a tort ni que tu as raison. Je ne suis pas Dieu, moi, pour juger de la valeur des autres. Mais je dirai que la manière dont tu réagis à ses actions ne semble pas de nature à l'amener à les modifier, mais, bien au contraire, est susceptible de la porter à amplifier encore les gestes que tu détestes chez elle. Si tu continues, comme tu fais, à la blâmer, à l'engueuler, à la gifler, je te souhaite bonne chance. Ta maison va être si en désordre que tu n'y trouveras plus la place de t'y coucher et tu peux t'attendre à une longue succession de repas immangeables… Qu'est-ce que tu pourrais faire d'autre pour atteindre l'objectif que tu te proposes ?

— Je suppose que je pourrais me forcer à être plus aimable, plus gentil avec elle.

— Précisément. En lui exprimant du rejet et de la haine, tu ne fais que l'amener à te rendre la pareille, tout en te payant de bons maux d'estomac.

— C'est donc mon devoir de cesser de la blâmer et de me montrer plus agréable à son égard ?

— Non, mille fois non ! Ce n'est pas plus ton *devoir* de faire cela que c'est le sien de faire le ménage ou de préparer les repas. Si tu t'imagines que c'est ton devoir, tu vas te blâmer toi-même et te sentir coupable quand tu te choqueras ; tu auras tout simplement échangé un sentiment désagréable et inapproprié pour un autre. Ce n'est pas ton *devoir*, tu n'es pas *obligé* d'agir ainsi, mais c'est, semble-t-il, une manière appropriée d'agir si tu veux toujours atteindre le résultat que tu souhaites. Quand donc vas-tu abandonner l'idée que ta femme doit être blâmée et punie pour ses actions à ton égard ?

— Hé… vous êtes en train de vous mettre en colère vous-même, dit-il avec un sourire en coin. Cela n'est pas très raisonnable !

— Tu as parfaitement raison. C'est que, pour un instant, je me suis laissé aller à croire que tu *devrais* abandonner ces idées qui t'empoisonnent la vie, alors qu'il n'en est rien, que tu as tout à fait le droit de les conserver si tu le désires, que je ne peux rien exiger de toi et que tu peux vivre et penser comme bon te semble.»

On voit combien il est facile, même quand on y est très attentif, de laisser envahir son esprit par des idées idiotes, tant est forte notre tendance à blâmer les autres et à nous blâmer nous-mêmes.

Prenons le cas d'Élise et de Gérard. Ils étaient venus me voir tous les deux parce qu'ils n'arrivaient à s'entendre sur presque rien et envisageaient de se séparer définitivement. Ils passaient le plus clair de leur temps à se disputer à propos de tout et de rien, ce qui les épuisait tous deux. Élise disait que Gérard ne l'avertissait jamais quand il arrivait en retard de son travail. Gérard répondait qu'il ne pouvait tout de même pas quitter une réunion d'affaires importante pour lui téléphoner comme un enfant, sur quoi Élise clamait que ses affaires étaient plus importantes que son inquiétude et qu'il se fichait bien d'elle. Gérard lui reprochait alors de se comporter comme une enfant et de faire des montagnes avec tout. Élise affirmait que c'était à voir qui était le plus enfant des deux et que, par exemple, quand Gérard avait bu un verre de trop, il se comportait comme un vrai bébé. Gérard explosait et disait que c'était sa conduite à elle qui l'amenait à boire, qu'il en avait assez et qu'elle pouvait aller au diable! Silence. On entendait en sourdine Élise qui retenait ses larmes et Gérard qui, tout rouge, soufflait comme une locomotive.

Comme on peut le constater, Élise et Gérard étaient passés maîtres dans l'art de s'adresser l'un à l'autre des blâmes et des reproches cuisants. Ils ne réussissaient ainsi qu'à s'empoisonner mutuellement la vie, au point qu'ils s'évitaient le plus possible. J'eus beaucoup de difficultés à leur faire comprendre que tous leurs reproches mutuels étaient injustifiés et naissaient de leur exigence déraisonnable que chacun d'eux soit comme l'autre l'aurait souhaité. Élise n'admit pas facilement, je peux vous l'assurer, que Gérard *avait le droit* de ne pas l'appeler quand il revenait en retard pour les repas, même si elle eût de beaucoup préféré qu'il le fasse. Par ailleurs, Gérard n'accepta qu'après une longue lutte qu'Élise *avait le droit* de se monter la tête pour des riens, même s'il eût désiré ardemment qu'elle ne le fasse pas. Il y avait, évidemment, bien d'autres sujets de dispute entre ces deux partenaires, et je n'en ai donné ici qu'un bref aperçu.

Donc, si vous décelez en vous-même la tendance à vous blâmer ou à adresser des reproches aux autres, vous aurez avantage à confronter les idées irréalistes qui donnent source à cette tendance. Si vous vous sentez déprimé ou coupable, vous devez être occupé de quelque manière à vous blâmer à quelque propos. Vous devez être en train de vous dire des phrases comme celles-ci : « J'ai mal agi dans telle circonstance… donc, je suis un être vil et méprisable ! J'ai été injuste envers telle personne… quel misérable je suis ! Je ne suis pas capable de faire telle chose convenablement… quel détestable incompétent je suis ! » Vous feriez mieux d'expulser ces phrases de votre esprit et de les remplacer par des pensées plus réalistes comme : « Je vois bien que j'ai mal agi, que j'ai été injuste, que je ne suis pas capable de faire telle chose ; je n'en suis pour autant ni méprisable, ni misérable, ni détestable, mais simplement humain. Je me suis trompé… voilà ce que c'est qu'être humain. Voyons maintenant comment je peux m'y prendre pour ne pas commettre de nouveau la même erreur et pour améliorer mon action. »

De telles pensées vous occuperont sérieusement l'esprit. Vous n'aurez sans doute pas le goût de rire ni de batifoler, mais elles ne vous procureront jamais une once de dépression.

De plus, comme nous l'avons déjà souligné, la pensée seule ne vous permettra pas de corriger votre action dans le futur. On ne devient pas un bon professeur, un habile menuisier ou un mari adéquat simplement en pensant à la façon de s'y prendre, encore que cette réflexion soit très utile. Il vous faudra vous *exercer* à agir d'une manière plus appropriée. Si vous êtes porté à blâmer les autres, il vous sera presque indispensable de vous habituer par l'exercice à cesser de le faire, en vous remettant clairement dans l'esprit leur droit à agir comme ils le font et en faisant dans le concret les gestes conséquents à cette conviction.

Si vous êtes parents, vous me direz : « Mais alors, ne faut-il plus jamais punir les enfants ? »

Je vous répondrai : « Punir, non. Pénaliser objectivement, oui », et je ne joue pas sur les mots ! Par punir, j'entends faire des gestes désagréables pour un autre parce que j'ai jugé qu'il était mauvais. Ainsi, mon fils de quatre ans, malgré les interdictions que je lui ai adressées, s'amuse à faire rouler sur le parquet mes disques préférés. Si je m'écrie, rouge de colère : « Petit sacripant ! », en lui donnant une bonne claque aux fesses, je viens de le punir. Si je répète ce geste souvent, avec le même accompagnement émotif, il est probable qu'il en viendra à se blâmer lui-même comme je le blâme, à s'adresser à lui-même les reproches que je dirige vers lui et éventuellement à se sentir coupable d'une variété de gestes. Si, au contraire, je mets les disques hors de sa portée ou si je lui fournis un substitut à ce jouet qu'il aime tant ou, si cela est impossible, et *en dernier ressort*, je lui donne calmement la même bonne claque, sans le blâmer, sans lui reprocher quoi que ce soit, mais uniquement dans le but de diminuer la probabilité de la récurrence de cette action, je le pénalise plus objectivement. L'enfant casse une vitre ? Qu'il en ramasse les morceaux, nettoie les dégâts qu'il a causés et paie le prix de sa maladresse ou de sa colère. Le tout sans blâmes ni reproches, car, n'est-ce pas, *il avait parfaitement le droit* de casser cette vitre, mais il est maintenant appelé à assumer les conséquences objectives de son geste.

Cela nous amène à une distinction importante, celle qui existe entre la *responsabilité* et la *culpabilité*. Nous sommes presque toujours *responsables* de nos actes, en ce sens que c'est bien nous qui les avons posés et que, théoriquement, nous aurions pu ne pas les poser. Mais cela ne suffit pas à nous rendre automatiquement blâmables, condamnables, *coupables* de ces mêmes gestes. Nul être ne fait un geste parce qu'il le voit comme un mal, mais toujours parce que cela lui apparaît comme un bien. D'accord, nous nous trompons souvent dans notre évaluation du bien et du mal ; nous jugeons parfois mauvais ce qui est tout à fait inoffensif et bon ce qui s'avère un mal à plus longue échéance. Or, il est humain de se tromper, comme tout le monde l'accepte en théorie, mais, malheureusement, bien moins souvent en pratique.

Même quand je me propose de nuire directement à un autre, je commets avant tout un acte stupide plutôt qu'un acte mauvais. Ainsi, si je mets le feu à la maison de mon voisin parce que je le déteste, je risque fort qu'il incendie ma propre demeure s'il découvre mon geste, ou qu'il me poursuive en justice. Même si j'échappe à tout soupçon et à toute rétribution dans ce cas, je vais quand même à l'encontre de mes propres objectifs, puisque je contribue à construire par mes actes un monde où règne l'injustice, monde dans lequel moi-même je ne veux pas vivre.

Enfin, si vous constatez que vous vous irritez souvent contre les autres, vous pouvez vous rendre compte que vous vous prenez pour un dieu aux décrets duquel les autres doivent correspondre. Que certaines actions des autres vous ennuient et vous embêtent, cela n'a rien que de très approprié. Dans ce cas, vous ne faites que *préférer* qu'ils agissent autrement et vous n'exigez pas pompeusement qu'ils vivent selon *vos* normes. Vous feriez mieux d'accepter les autres comme ils sont, au moins de façon temporaire, et de penser avec calme aux moyens que vous pouvez employer pour les amener à changer leur manière d'agir envers vous.

Il est donc très utile que vous vous entraîniez à confronter vos idées de grandeur et vos exigences, à combattre votre tendance à vous blâmer et à blâmer les autres. Vous vous donnerez ainsi une bien meilleure chance de changer ce que vous n'aimez pas plutôt que de passer votre vie à fulminer contre les autres et contre vous-même, sans résultat positif au bout du compte.

CHAPITRE VIII

« C'EST UNE CATASTROPHE... »

Si un être humain croit faussement qu'il doit recevoir amour et approbation de presque toutes les personnes importantes de son entourage, s'il est convaincu de la nécessité de réussir à la perfection ce qu'il entreprend, s'il tient pour certain que lui-même et les autres devraient être sévèrement blâmés et punis de leurs fautes, il semblerait qu'il ait dans la tête tout ce qu'il faut pour mener une vie profondément désagréable.

Cependant, il peut malheureusement se compliquer davantage l'existence en ajoutant foi à notre quatrième idée déraisonnable : que *quand les choses ne vont pas comme il le souhaiterait, cela est terrible, horrible, catastrophique et insupportable.*

Combien de fois n'ai-je pas entendu des consultants ou des consultantes me déclarer que telle situation qu'ils vivaient était insupportable, alors que souvent ils me révélaient ensuite qu'ils vivaient cette situation depuis plusieurs années, sans pour autant avoir perdu la santé physique ou mentale.

Les vraies catastrophes sont plutôt rares dans la vie d'une personne moyenne. On peut même dire qu'elles sont en fait totalement absentes, à moins que la personne ne transforme les épisodes dés-agréables de sa vie en catastrophes. À la limite, *rien* n'est absolument insupportable, quoique bien des choses puissent être très pénibles à supporter. C'est notre évaluation des choses qui nous amène à appeler catastrophe ce qui n'est que très désagréable, et horrible ce qui est très ennuyeux.

Le philosophe ancien Épictète formule sur le sujet une réflexion fort pertinente. Il rappelle combien nous sommes portés à juger comme terribles pour nous des choses que nous considérons comme normales quand elles arrivent à d'autres.

> Ainsi, lorsque l'esclave d'un voisin casse une coupe, nous som-mes aussitôt prêts à dire : «C'est dans les choses qui arrivent.» Sache donc, lorsque *ta* coupe sera cassée, qu'il faut que tu sois tel que tu étais, quand fut cassée celle d'un autre. Transporte aussi cette règle, même à des faits plus importants. Quelqu'un perd-il son fils ou sa femme? Il n'est personne qui ne dise : «C'est dans l'ordre humain.» Mais quand on fait cette perte soi-même, aussitôt on dit : «Hélas! Infortuné que je suis!» Il faudrait se souvenir de ce qu'on éprouvait à l'annonce du même événement survenu chez les autres. (Épictète, XXVI)

Devant un événement désagréable dans ma vie, j'ai le choix de me dire : «Je déteste ce qui m'arrive. Voyons ce que je peux faire pour le modifier ou l'éviter. S'il n'y a rien à faire, cela est très dé-sagréable, mais pas nécessairement horrible ni catastrophique.» Cette phrase intérieure ne me rendra pas heureux ni joyeux; je continuerai à me sentir frustré, mais non pas *effondré*, ni *déprimé*, ni *hostile*.

Par ailleurs, je puis aussi me dire : «Cette situation est insup-portable. Je ne peux pas l'accepter, c'est intolérable; je vais en perdre la tête ! Il *faut* que ça change, sinon c'en est fait de tout bonheur pour moi. » En m'exclamant ainsi intérieurement, je ne change rien à la situation elle-même, mais je crée en moi une foule de sentiments de dépression et d'agressivité.

La capacité de supporter, sans se détruire, les frustrations inévitables de la vie est une caractéristique de l'âge adulte. Un enfant a beaucoup moins de facilité à tolérer la frustration : il est presque totalement dépendant de son entourage et est relativement incapable encore de se projeter dans le futur pour prévoir le moment où l'élément frustrant cessera d'être présent. L'enfant est tout entier confiné dans le présent et s'il n'est pas gratifié immédiatement, il lui est difficile d'accepter de différer le moment de sa gratification. Si un bébé veut manger, il veut manger tout de suite, et on n'aura pas beaucoup de succès à essayer de lui faire comprendre qu'il peut facilement attendre encore une heure, ce qui est pourtant exact. Il n'en est pas ainsi de l'adulte. Celui-ci peut apprendre à tolérer avec philosophie ce qu'il ne peut changer et travailler à modifier patiemment ce qui peut l'être, le tout sans se sentir abattu.

J'ai souvenir d'une de mes premières consultantes qui avait commencé sa vie avec un sérieux handicap. À la suite d'une maladie d'enfance, elle était devenue infirme. Sa jambe gauche était demeurée plus courte que l'autre de plusieurs centimètres. De nombreuses opérations n'avaient pas réussi à corriger parfaitement cette situation : Gisèle boitait et elle boiterait toute sa vie, même si sa claudication, grâce à des chaussures spéciales, était à peine discernable.

Pendant des années, elle avait refusé d'accepter cette situation, de s'accepter elle-même comme inévitablement infirme. En conséquence, elle avait désespérément essayé de vivre au même rythme que les autres, de courir, de jouer au ballon, de sauter à la corde et, plus tard, de monter les escaliers quatre à quatre et d'attraper les autobus au vol. Elle n'avait réussi qu'à s'épuiser et à se mettre dans un tel état de tension psychologique qu'elle en avait fait une sérieuse dépression. Un médecin la traitait à coups de pilules. Elle pouvait absorber dans la même journée pas moins de trente capsules et comprimés divers, la plupart destinés à combattre les maux de tête lancinants qui ne la quittaient presque jamais.

Cette tension provenait-elle de son infirmité? Pas du tout, mais de sa manière à elle de considérer ce handicap comme une chose terrible et catastrophique, de son refus de l'accepter comme une chose certes désagréable et embarrassante, mais non épouvantable. De là ses efforts insensés pour compenser son infirmité; comme je le lui disais, avec le moteur d'une Smart, elle tentait d'atteindre les performances d'une Audi. Ce n'était tout simplement pas possible et elle ne réussissait ainsi qu'à endommager encore davantage son équipement physique. Ses désirs irréalistes s'exprimaient d'ailleurs très clairement dans ses rêves où elle se voyait sous les traits d'une ballerine, dansant avec grâce au son du *Lac des cygnes.*

Gisèle avait-elle besoin de pitié, de compassion, d'être dorlotée et chouchoutée? Autant que d'une balle dans la tête! Cela ne prit pas moins de deux ans à la convaincre d'abandonner l'idée irréaliste qu'elle se faisait de son état, de la persuader de cesser d'appeler terrible ce qui n'était qu'un handicap ennuyeux, de l'amener à réaliser que, même si certaines activités parfaitement légitimes et agréables lui étaient interdites pour toujours, il n'était pas nécessaire qu'elle gâte toute sa vie par des essais absurdes pour nier qu'elle n'avait pas une jambe plus courte que l'autre. Aujourd'hui, Gisèle s'est trouvé un emploi qui lui permet de respecter ses limites physiques, elle prend sagement les ascenseurs quand elle le peut, accepte de marcher plus lentement que les autres et est presque libérée de ses

migraines. Celles-ci ne reviennent que quand elle laisse se réintro-
duire dans son esprit ses vieilles idées irréalistes.

Il est bon de noter que plus quelqu'un consacre d'énergie à pester contre le sort, à se lamenter en se répétant que la situation est
horrible et intolérable, à gémir sur son sort déplorable, moins il
lui reste de capacités pour penser clairement et avec lucidité à la
manière de sortir de la situation déplaisante dans laquelle il se trouve.

Les larmes et les imprécations n'ont d'ordinaire aucun effet sur
le réel. Comme le disait déjà Marc Aurèle : « Il est vain de s'irriter
contre les choses, car elles n'en ont cure ! »

« Mais les autres agissent injustement à mon égard, ils violent
mes droits élémentaires ! » Et alors, même si cela est exact, y a-t-il
quelque chose qui permette de conclure qu'ils ne *devraient* pas agir
ainsi, même si vous souhaiteriez qu'ils ne le fassent pas ? De toute
façon, vous feriez mieux de sécher vos larmes, de cesser vos malé-
dictions et de penser aux moyens que vous pouvez employer pour
pallier leurs actions désagréables.

En somme, plus la perte que vous avez subie est irréparable et
plus la frustration que vous en ressentez est aiguë, plus vous avez
avantage à l'accepter avec maturité et résignation, en vous gardant
d'amplifier vos sentiments négatifs en laissant libre cours à vos pensées « catastrophisantes ». Rappelez-vous que rien n'est horrible ni
intolérable en soi, mais que ce sont vos idées irréalistes qui vous font
croire qu'il en est ainsi. Laissons la parole encore à Marc Aurèle :

Tout ce qui arrive, ou bien arrive de telle sorte que tu peux
naturellement le supporter, ou bien que tu ne peux pas naturellement le supporter. Si donc il t'arrive ce que tu peux naturellement supporter, ne maugrée pas ; mais autant que tu en
es naturellement capable, supporte-le. Mais s'il t'arrive ce que

tu ne peux pas naturellement supporter, ne maugrée pas, car cela passera en se dissolvant. Souviens-toi cependant que tu peux naturellement supporter tout ce que ton opinion est à même de rendre supportable et tolérable, si tu te représentes qu'il est de ton intérêt ou de ton devoir d'en décider ainsi.

(Marc Aurèle, X, 3)

Le pire qui peut donc nous arriver devant un événement, c'est que nous finissions par en mourir. Mais cela même est tout à fait normal et arrive tôt ou tard à chacun d'entre nous. Pourquoi donc s'emporter et se déprimer devant ce qui n'est, après tout, que normal? La vie est dure? Bien sûr. Nul n'a jamais prétendu qu'elle fût un paradis. Nous n'avons pas été consultés pour venir au monde, mais, une fois entrés dans la vie, et tant que nous sommes vivants, pourquoi ne pas prendre les moyens élémentaires pour nous rendre cette vie le moins désagréable possible? Quel profit y a-t-il à passer ses jours à déplorer les malheurs qui arrivent inévitablement, à pleurer sur son sort et à gémir sur les injustices et l'iniquité des hommes? Ce sont là des pensées qui, loin de rendre la vie plus agréable, ne parviennent qu'à gâcher les moments de bonheur qui sont à notre portée.

Le fiancé de Gertrude était mort dans un accident d'avion quelques semaines avant leur mariage. Douze ans plus tard, Gertrude demeurait inconsolable. Après sa mort, elle s'était isolée, avait refusé de rencontrer qui que ce soit et s'était vouée à une espèce de veuvage artificiel. Quand je commençai à la rencontrer, la seule évocation du défunt suffisait à provoquer chez elle de nouveaux sanglots et d'interminables plaintes de ce que sa vie avait été gâchée, qu'elle était une morte vivante, que le sort était injuste de lui avoir retiré son amant juste comme s'ouvraient pour tous deux les portes du bonheur. Je l'écoutai un bon bout de temps et lui témoignai ma sympathie.

« Je vois bien que depuis douze ans tu as mené une vie misérable et sans attraits, ajoutai-je. Je me demande quelle en est la raison ?

— Ma vie a perdu tout son sens quand Jean-Luc m'a été enlevé. Ne comprenez-vous pas que toute ma vie reposait sur lui ?

— Je comprends surtout que c'est ce que tu t'es imaginé. Il n'était pas du tout nécessaire qu'il en soit ainsi.

— Mais oui, puisque je l'aimais et que je l'aime encore, et de plus en plus.

— Concédons que tu l'aimais vraiment, quoique cela soit discutable ; mais c'est une autre question. Ce que je veux souligner, c'est que, au moment où Jean-Luc est mort, tu t'es persuadée que cela constituait une catastrophe irréparable et qu'en conséquence il ne te restait plus qu'à te désoler pour le reste de tes jours, avant, je suppose, de le rejoindre dans l'au-delà.

— Évidemment. C'est une catastrophe. Toute ma vie en a été brisée, tout a perdu son sens !

— Mais voilà précisément où tu te trompes, Gertrude. Ta vie n'a pas été brisée parce que la mort de Jean-Luc était une catastrophe, mais tu as brisé ta vie jusqu'à présent en *croyant* que cette mort était une catastrophe ! Voyons, mourir est-il une catastrophe pour un être humain ?

— Je me fiche des êtres humains, tout ce que je sais, c'est que Jean-Luc est mort, et que j'en ai le cœur brisé.

— Laissons ton cœur tranquille pour le moment. Tu n'as pas encore répondu à ma question.

— Je sais bien que ce n'est pas une catastrophe, puisque tout le monde meurt. Mais nous aurions pu au moins vivre heureux quelques années ensemble !

— Peut-être auriez-vous été heureux en effet. Cela, nous ne le saurons jamais. Ce que nous savons très bien, c'est que Jean-Luc est définitivement mort, que des ruisseaux de larmes ne le ramèneront pas à la vie et que, de toute façon, sa mort, tout comme celle de n'importe qui, est un événement normal qui, dans son cas, s'est produit quelques années plus tôt qu'on aurait pu s'y attendre.

— Mais n'avez-vous pas de cœur? Vous raisonnez comme un ordinateur!

— Que j'aie du cœur ou non, ça, c'est *mon* problème. Le tien, c'est que tu continues à te détruire aussi sûrement que si tu absorbais un peu d'arsenic chaque jour. Tes larmes, tes cris, tes gémissements ne sont de profit pour personne, ni pour Jean-Luc ni pour toi. Ils ne contribuent qu'à empirer une situation déjà pénible. Si la mort de Jean-Luc n'est pas une catastrophe, comme tu l'as reconnu il y a un instant, pourquoi passes-tu ton temps à te répéter que c'en est une? Ne vois-tu pas que c'est en croyant cette notion absurde, en te redisant qu'il n'aurait pas dû mourir, que cela est injuste, que la vie est amère et détestable, que tu continues justement à rendre ta vie et amère et détestable?

— Vous n'y comprenez rien. On voit bien que vous n'avez jamais aimé personne avec le cœur de pierre que vous avez.

— Encore une fois, cela, c'est *mon* problème. Peut-être suis-je un monstre dénué de sentiments tendres, un rapace dont l'unique but dans la vie est d'exploiter les opprimés et de m'enrichir cyniquement de leur détresse. Peut-être prends-je plaisir à écraser des chats dans la rue et à arracher leurs bonbons aux petits enfants, mais tout cela me regarde. Pour ce qui est de toi, je suis presque certain que tant que tu continueras à te dire que la mort de Jean-Luc est une chose terrible et épouvantable, tu continueras à mener une vie qui, je suis d'accord avec toi, est extrêmement désagréable. Cela fait douze ans que tu te répètes à cœur de jour la même insanité; ne penses-tu pas que tu pourrais changer de chanson?

— Vous êtes méchant… vous vous moquez de ma peine légitime et vous me tournez en ridicule.

— Je ne te tourne pas en ridicule ni ne te reproche quoi que ce soit. Ce que j'attaque, ce sont les idées absurdes que tu nourris dans ta tête et qui brisent ta vie.

— Mais si vous attaquez mes idées, c'est moi que vous attaquez!

— Pas du tout. Pas plus que le dentiste ne t'attaque quand il t'arrache une dent malade qui te fait souffrir. Je voudrais bien pouvoir t'enlever ces idées de la tête comme on arrache une dent, mais je ne peux que t'aider à découvrir quelle dent te fait souffrir, te montrer comment l'arracher et te mettre la pince dans la main. Ensuite, tu feras ce que tu voudras.

— Mais j'ai tout de même raison d'avoir de la peine à cause de la mort de Jean-Luc.

— Que tu aies eu de la peine pendant quelque temps après sa mort, cela, je le reconnais, est tout à fait approprié, quoique tout à fait inutile aussi, mais passons. Mais que pendant douze ans tu passes ton temps à te désoler de cet événement, que tu te fasses une vie cloîtrée, que tu te livres à un véritable culte de Jean-Luc, cela, tu n'aurais pas pu y parvenir sans continuer à interpréter sa mort comme un désastre irréparable, *ce qu'elle n'est pas*. Jean-Luc est mort: voilà la réalité. Maintenant, que vas-tu faire pour t'organiser la vie la moins désagréable possible sans lui?

— Je ne pourrai jamais me passer de lui!

— Gertrude, ça fait douze ans que tu te passes de lui et tu t'étais passé de lui au moins pendant une vingtaine d'années avant de le connaître! Cesse de te répéter des *faussetés*!»

Avec le temps et malgré ses résistances farouches, d'autant plus fortes qu'elle avait l'impression d'être ainsi infidèle en quelque manière à Jean-Luc et qu'elle entretenait l'idée absurde qu'elle se devait de passer toute sa vie à veiller son corps, Gertrude en vint à confronter ses idées «catastrophisantes» et à interpréter sa vie d'une manière plus réaliste. Celle-ci ne changea pas fondamentalement : Jean-Luc ne revint pas auprès d'elle, ils ne se marièrent pas et n'eurent pas de nombreux enfants. Mais son *interprétation* de sa vie se modifia lentement, et cela fait toute la différence au monde. J'ajoute qu'elle se rendit compte que j'avais moi aussi un cœur humain, et que la véritable affection ne consiste pas nécessairement à pleurer avec les malheureux — ce qui ne demande, après tout, que bien peu d'efforts et ne donne pas beaucoup de résultats positifs —, mais plutôt à s'ingénier, parfois péniblement, à leur mettre entre les mains le moyen de sortir de leur peine. J'ai déjà traité ce point en détail en parlant de la sympathie dans un volume précédent (Auger, 1972, p. 42).

Quand la vie vous place dans des circonstances désagréables et pénibles, vous pouvez utiliser divers moyens pour vous éviter de la gâter.

Demandez-vous d'abord si ce qui vous arrive est vraiment aussi paralysant que vous le croyez ou si vous ne seriez pas, sans vous en rendre compte, en train de *définir* la réalité à votre manière. Est-il bien vrai que votre vie soit gâchée parce que vous avez perdu votre emploi ? Est-il exact que vous ne puissiez être heureux sans l'automobile que vous venez de fracasser contre un arbre ? Vous avez perdu votre portefeuille et les cent dollars qu'il contenait. En aviez-vous vraiment *besoin* ? On découvre que vous souffrez du cancer. Pensiez-vous être immortel ? Posez-vous des questions précises, nettes, et acharnez-vous à y répondre avec sincérité et réalisme, même si cela vous fait temporairement plus mal que de vous apitoyer sur votre malheur.

Si l'événement qui vous arrive est vraiment très frustrant et que vous ne disposez présentement d'aucun moyen pour l'éviter ou le modifier, il ne vous reste qu'à l'accepter, sans révolte et sans amertume, quelle que soit son injustice réelle ou apparente, quelque pénibles que soient ses conséquences. Vous ne serez peut-être pas capable de sourire ni de plaisanter quand la vie vous enlèvera ce que vous avez de plus cher, mais il sera déjà bien suffisant que vous n'aggraviez pas votre souffrance en la magnifiant et en l'entretenant par vos pensées irréalistes et vos regrets stériles.

Prenez garde de ne pas augmenter votre frustration en devenant *frustré d'être frustré*. S'il vous tombe une tuile, faites attention de ne pas vous dire qu'elle n'aurait pas dû vous atteindre, ce que vous ne sauriez en aucun cas démontrer. Ce qui arrive arrive, et il n'est pas raisonnable de prétendre qu'il devrait en être autrement. Si vous croyez cette sottise, vous allez vous payer deux frustrations pour le prix d'une, la première venant de l'événement objectivement malheureux et la seconde de votre tendance à revendiquer des droits que vous n'avez tout simplement pas. Les frustrations et les souffrances font partie d'une vie normale, et aucun être humain ne traverse la vie sans en connaître de nombreuses presque chaque jour. Comme me le disait un inconnu rencontré dans une salle à manger d'un hôtel: «On a toujours un petit bobo quelque part.»

Pour vous aider à supporter les inconvénients de la vie sans vous démolir, vous pouvez concentrer votre esprit temporairement sur autre chose, sur les aspects agréables de votre passé, par exemple, ou sur ce qui absorbe votre esprit et vous empêche de vous en servir pour vous blesser vous-même. Jouez au bridge, regardez la télévision, visitez vos amis ou résolvez des casse-tête: cela vaudra mieux que de vous casser la tête en ruminant vos malheurs.

Cette technique n'est qu'une aide et ne règle rien de façon définitive, mais quand vous ne parvenez pas à confronter efficacement vos idées, elle permet au moins d'attendre avec le minimum de souffrance un moment plus favorable.

Il serait avantageux que vous évitiez le plus possible un certain nombre de palliatifs dont l'emploi prolongé risque de vous amener plus de problèmes qu'il n'en règle. Un verre de scotch peut vous aider à avaler une mauvaise nouvelle, mais si vous abusez de ce moyen pendant longtemps, vous vous réveillerez avec une cirrhose carabinée. Un somnifère occasionnel vous aidera à échapper temporairement à vos tracas dans le sommeil, mais attention de ne pas vous intoxiquer à la longue ou de vous habituer à dépendre de ce moyen qui vous empêche de vous servir de votre raison pour faire face de façon réaliste et efficace aux difficultés de votre vie. Il en est de même de la marijuana, des drogues diverses, des compensations sexuelles ou alimentaires (il est beaucoup plus difficile de perdre du poids que d'en gagner, et si pour combattre vos frustrations vous vous gorgez de choux à la crème, il vous faudra dans quelque temps faire face à la frustration de découvrir que vos vêtements ne vous vont plus et que vous avez peine à nouer vos cordons de chaussures).

Il importe surtout d'éviter un moyen pourtant très populaire et qui consiste à exprimer de manière inconsidérée l'hostilité engendrée par les pensées déraisonnables conséquemment à la frustration. Si vous voulez taper sur quelque chose, tapez sur des arbres, des pierres ou des ballons de football, mais pas sur d'autres êtres humains. Ces derniers ne tolèrent habituellement pas longtemps de vous servir de déversoir et leurs réactions risquent de vous apporter de nouvelles frustrations.

En somme, il n'existe pas de substitut vraiment efficace et sans effets secondaires dangereux à la ferme confrontation de vos idées irréalistes, sources de votre révolte et d'une bonne part de votre frustration. Cette confrontation est un moyen simple, gratuit, utilisable en tout lieu et qui ne vous apportera jamais de mauvais effets.

CHAPITRE IX

« C'EST LA FAUTE DES AUTRES... »

Il y a quelques jours, je m'entretenais avec Laurette, une jeune fille qui est ma consultante depuis un certain temps. Elle a dans la tête de nombreuses idées erronées, mais elle est surtout experte à se répéter ce que nous appellerons notre cinquième idée déraisonnable : *Le malheur des êtres humains est causé de l'extérieur et ils sont relativement incapables de se débarrasser de leurs peines et de leurs chagrins.*

On comprendra tout de suite combien il est tentant pour nous de croire à cette idée, puisqu'elle nous décharge de la responsabilité de notre propre vie et nous permet de demeurer passifs pendant que nous attribuons à d'autres la cause de nos troubles émotifs. Nous voilà ainsi exemptés du dur labeur de prendre en main notre destinée, de faire face à la réalité et de nous mettre courageusement au travail pour changer nos émotions désagréables. Pour des raisons qui ne sont pas tout à fait claires, mais qui semblent tenir au moins en partie à notre tendance innée à l'inertie et à la gratification immédiate, il nous apparaît souvent préférable de nous vautrer dans la dépression et le désespoir plutôt que de faire l'effort de constater jusqu'à quel point nous contribuons à nos propres tracas et de nous appliquer à purger notre esprit des idées sottes qui l'habitent.

Pour revenir à Laurette, elle était à ce moment en train de vivre des événements objectivement désagréables. Depuis plusieurs années, elle désirait poursuivre ses études à l'université. Tout en travaillant, elle avait fait des économies, de telle sorte qu'avec l'aide de bourses elle pouvait envisager de consacrer trois années à sa formation en vue de décrocher un diplôme supérieur. Orpheline, elle ne pouvait compter sur aucun soutien matériel de sa famille.

Pleine d'espoir, elle envoya donc sa demande d'admission à l'université. Après plusieurs mois d'attente anxieuse, elle reçut une réponse négative. Elle était, bien sûr, très malheureuse et l'*occasion* de son chagrin était évidente. Il était hors de tout doute cependant, comme je parvins à le lui démontrer, qu'elle *amplifiait* considérablement ses sentiments négatifs en se répétant qu'elle était une incapable, qu'elle n'avait pas la force de supporter ce refus, qu'il n'y avait plus rien à faire et qu'il valait mieux qu'elle quitte son travail et vive des sommes qui lui seraient versées par l'assurance-chômage.

Il ne s'agit pas de prétendre que *toute* la dépression de Laurette était causée par ses idées irréalistes. Le refus qu'elle avait essuyé était objectivement un événement désagréable et pénible. Cependant, ses idées irréalistes continuaient à aggraver une situation déjà difficile à supporter et lui procuraient un supplément de souffrance dont elle aurait fort bien pu se passer.

Si l'on y pense bien, les événements et les personnes ne peuvent, en dernière analyse, nous blesser que physiquement. Je peux être attaqué par un voleur ou frappé par un train, mais les *paroles* d'une autre personne sont rigoureusement inoffensives, à moins que je ne leur attache une quelconque importance et qu'ainsi *je me blesse moi-même*.

Sans doute, il est *plus facile* d'être raisonnable quand les autres me complimentent que lorsqu'ils m'insultent. J'aurai plus d'aisance à me sentir bien et heureux quand mon entourage me témoignera des marques d'estime et d'appréciation et je me sentirai plus porté à donner libre champ aux idées déraisonnables qui sommeillent toujours en moi quand les gens me rejetteront. Si difficile que cela soit, ce n'est pourtant pas impossible, et j'ai même grand avantage à investir des efforts précis pour éviter ces idées et ainsi m'épargner beaucoup de troubles intérieurs.

Je passe mon temps, en entrevue, à entendre mes consultants répéter des phrases comme celles-ci : « Mon mari m'a dit que j'étais stupide, et ça m'a fait mal… » « Ma femme m'a dit que je manquais de jugement, et ça m'a froissé… » « Arthur m'a dit qu'il me trouvait bête, et ça m'a mis en colère. » Chaque fois, j'interromps la personne en disant : « Non, c'est impossible. Il est tout aussi impossible à ton mari (à ta femme ou à Arthur) de te faire mal avec des paroles qu'à une fourmi de t'assommer. Ce qui s'est passé en fait, c'est que tu as saisi l'occasion que cette personne t'offrait par ses paroles et que tu t'es mis à te dire des phrases comme : "Mon mari me trouve stupide. Il n'a pas le *droit* de dire ça. Il *devrait* m'aimer et m'accepter comme je suis…" "Ma femme trouve que je manque de jugement… Elle doit avoir raison et je ne suis pas capable de supporter de manquer de jugement… c'est *intolérable*…" "Arthur me trouve bête… c'est un *imbécile* et un *méchant* de me traiter ainsi." Voilà les phrases qui causent ton trouble, ta dépression ou ta fureur. Or, elles sont toutes *fausses*, comme il est facile de le démontrer. Tu aurais pu te dire, au contraire, des phrases plus exactes, plus fidèles au réel, comme : "Mon mari me trouve stupide, c'est son droit de le penser et de le dire. Rien ne prouve qu'il *doit* m'aimer et m'accepter comme je suis…" "Ma femme trouve que je manque de jugement ; elle a peut-être raison. Je vais examiner la chose et si je constate qu'elle a dit vrai, je suis parfaitement capable de supporter de ne pas avoir toujours raison et de faire de nombreuses erreurs. Je ferais mieux de m'appliquer à éviter ces erreurs dans le futur, tout en étant clairement conscient que je ne parviendrai jamais à les éviter toutes. *C'est la vie!...*"" Arthur me trouve bête et me le dit directement. Il *n'est* ni imbécile ni méchant, mais seulement, comme moi, un être humain imparfait, qui ne choisit pas toujours les mots les plus agréables pour me décrire. Rien ne l'y oblige toutefois et je ne vois pas pourquoi je me tourmenterais terriblement à propos de son opinion." En gardant présentes à ton esprit de pareilles phrases, toutes rigoureusement *exactes*, tu te serais épargné une bonne dose de tracas émotifs.»

Ainsi, quand vous prétendez que vous ne pouvez pas contrôler vos émotions, vous vous trompez lourdement. Vous commettez l'erreur élémentaire, mais pourtant si fréquente, de croire que vos troubles émotifs sont causés par des personnes ou des événements extérieurs à vous, alors qu'en fait ils proviennent de votre esprit rempli de pensées irréalistes. Il se peut que vous vous soyez raconté une telle abondance de ces idées que vous ayez alors perdu le contrôle de vos émotions et que, *pour un certain temps*, vous n'arriviez pas à les maîtriser instantanément. C'est pourquoi il est bien plus facile et bien plus efficace de ne pas attendre, pour confronter vos idées, d'avoir atteint le point d'ébullition émotif. Un feu de camp est plus facile à éteindre qu'un feu de forêt!

«Mais, direz-vous, je ne m'aperçois pas que je suis en train de donner asile à des pensées irrationnelles. C'est *inconsciemment* que je me donne des émotions désagréables. Comment puis-je donc combattre ce dont je ne suis même pas conscient?» Je vous répondrai que vous ne le pourrez pas, du moins au début. Il vous faudra d'abord vous habituer, quand vous vous sentirez émotivement troublé, à remonter à la source de ces sentiments. Si vous cherchez avec soin et essayez de saisir les pensées qui vous occupaient l'esprit au moment où vous avez commencé à vous sentir troublé, il n'y a pas de raison pour que vous ne parveniez pas éventuellement à les reconnaître. Avec le temps et l'exercice, vous deviendrez de plus en plus habile à déceler la présence de ces pensées en vous, dès leur apparition. Ainsi, vos confrontations deviendront plus faciles et plus efficaces, et vous vous sentirez malheureux moins longtemps.

Un indice peut vous aider à saisir vos phrases irrationnelles au vol. Toute phrase qui, sauf dans certains cas spéciaux, contient les expressions « *il faut* », « *je dois* », « *il devrait* » a toutes les chances d'être irréaliste. En effet, ces termes expriment des nécessités absolues et de telles nécessités, sauf en ce qui concerne les lois de la nature ou de la logique, sont inexistantes. Je peux dire légitimement : « Pour aller à Québec, il faut que je quitte Montréal », puisque, dans ce cas, le « *il faut* » exprime simplement une conséquence logique du principe de non-contradiction. Puisqu'un corps ne saurait, en même temps et sous le même rapport, être en deux endroits à la fois, il s'ensuit qu'il faut bien que je quitte le point où je suis pour me rendre à un autre.

Mais il y a toutes les chances que la phrase « Il faut que j'aille à Québec » soit inexacte. Pourquoi le faudrait-il ? – Parce que je m'y suis engagé. – Mais rien ne vous oblige à tenir vos engagements. – C'est vrai, mais les gens vont juger que je suis inconstant. – Et après… qu'est-ce que leur jugement peut vous faire ? Si vous n'êtes pas inconstant, vous ne le deviendrez pas parce qu'ils le pensent, et si vous l'êtes, vous ne le deviendrez pas davantage. D'ailleurs, est-ce une catastrophe d'être inconstant ? – Non, mais cela présente bien des inconvénients, surtout dans les relations interpersonnelles. – D'accord. Si vous voulez éviter ces inconvénients (que vous pourriez d'ailleurs supporter, n'est-ce pas ?), *vous avez avantage* à être constant ou du moins à sembler tel, et donc à tenir votre engagement d'aller à Québec. Ne vous dites donc pas alors que vous partez à cause d'une *obligation* (ce qui pourrait contribuer à agrémenter votre voyage d'émotions désagréables, comme les regrets, les récriminations, la colère, contre ceux qui, prétendument, vous forcent à y aller), mais bien à cause d'un *choix personnel*, posé en fonction des avantages qu'il peut vous rapporter. Dites-vous donc: «Je ne suis pas strictement forcé d'aller à Québec, mais *je choisis* d'y aller parce que cela m'est avantageux.»

De même, en ce qui concerne les autres, gardez-vous de croire qu'il *faut* que votre amie arrive à temps au rendez-vous que vous lui fixez, puisque rien sur terre ne l'y oblige, qu'elle *doit* vous accueillir avec le sourire, puisque cela non plus n'est pas inscrit dans l'ordre naturel des choses et que l'harmonie du monde ne sera pas troublée par sa longue figure (ni vous non plus — tant que vous ne vous croirez pas lésé de quelque droit! —), ni qu'il est essentiel, mais seulement très souhaitable, qu'elle fasse bien l'amour avec vous.

En expulsant systématiquement de votre langage intérieur et de votre pensée toutes ces grandiloquentes expressions de vos pseudo-absolus, de votre manie de jouer au dieu, vous vous délivrerez de leurs nombreuses conséquences malheureuses.

J'ai déjà reçu en consultation une religieuse d'une trentaine d'années qui se plaignait amèrement du manque d'ouverture de sa communauté, des coutumes stupides, disait-elle, qu'on y maintenait, de l'hypocrisie et de la duplicité qui y régnaient. Je cite ici un extrait d'une de ses lettres:

«Il faudrait au moins que la communauté se mette au pas du vingtième siècle. Il est impossible de vivre [aujourd'hui] comme en 1870: ça n'a absolument aucun sens. D'une part, on nous répète qu'il faut se mettre au service des pauvres et des faibles, mais, d'autre part, on nous oblige à vivre comme des riches. Cela est absurde et intolérable. Je n'en peux plus de [voir] ma vie [détruite] par leurs sottises et leurs niaiseries. Nous sommes censées vivre une vie de charité et d'union, mais c'est tout le contraire qui se produit. Il est impossible de dire la vérité ici, sans attirer sur sa tête la réprobation générale. C'est pire qu'une prison ; au moins, en prison, on peut penser ce qu'on veut. Ici, on n'a pas même la liberté de penser.

« Il y aurait moyen de vivre en communauté encore, si ce n'était de la présence d'une dizaine de vieilles sœurs insupportables qui passent leur temps à vérifier si nous portons notre voile, si nos jupes ne sont pas trop courtes et si nos vêtements sont bien de la couleur approuvée par le chapitre général. C'est terrible de constater combien une telle vie peut détruire un être humain, alors qu'elle devrait l'épanouir. »

Cette lettre continuait pendant encore bien des pages ; au premier coup d'œil, tout peut vous sembler logique et plein de bon sens, mais en y regardant de plus près, vous constaterez que c'est un tissu d'absolus, d'exigences et d'exagérations. Il n'était pas étonnant que cette religieuse fût très malheureuse, non pas à cause des carences de sa communauté, mais plutôt en raison des idées absurdes auxquelles elle croyait.

Ce qui ne veut pas dire que la communauté soit nécessairement justifiée d'offrir à ses membres autant d'occasions de se nourrir l'esprit d'idées irrationnelles. Si mon fils de quatre ans se coupe avec un couteau de cuisine, c'est bien lui qui est d'abord responsable de sa blessure, mais je porte aussi ma part de responsabilité du fait qu'en laissant le couteau à sa portée, je lui ai fourni l'occasion de se blesser. Il semblerait simplement logique de s'attendre à ce qu'une adulte ne réagisse pas avec autant de démesure qu'une enfant.

Tous les efforts que nous consacrons à changer directement les actions et les attitudes des autres, que nous croyons être la source de nos maux, seraient mieux employés à changer nos propres idées déraisonnables. Vous, pas plus que moi, ne pourrez jamais forcer un être humain à changer une seule de ses pensées. Cela est non seulement impossible, mais inutile, puisque, de toute façon, ce ne sont pas ces idées ni ces attitudes qui vous rendent malheureux, mais bien vos propres idées. Vous pouvez, en tout temps et en toutes circonstances, bien que cela soit plus ou moins difficile, demeurer le maître de votre destin émotif, et diriger votre propre barque émotive où bon vous semble. Rendez-vous compte qu'intérieurement vous êtes inatteignable, inviolable et que, si vous le voulez et si vous vous y exercez, rien d'extérieur ne saurait venir troubler votre sérénité.

CHAPITRE X

« JE SUIS ANGOISSÉ... »

Avec ce chapitre, nous abordons l'une des régions où le malheur des humains fleurit avec le plus de vigueur. Existe-t-il un sentiment plus désagréable et pénible que l'*anxiété*, cette sensation d'être menacé par des dangers auxquels on ne saurait échapper et qui semblent toujours sur le point de s'abattre sur nos têtes ? Les conséquences physiques en sont bien connues, et chacun de nous les a déjà expérimentées : souffle court, palpitations cardiaques, boule dans la gorge ou la poitrine.

La raison est-elle de quelque secours contre ce phénomène si universel et dont les sources sont, dit-on, largement inconscientes ? Nous répondrons positivement à cette question, en démontrant que l'angoisse et ses séquelles sont présentes dans nos vies avant tout parce que nous croyons à l'idée déraisonnable numéro 6 : *Parce qu'une chose est ou peut devenir dangereuse, il est inévitable qu'un être humain s'en préoccupe profondément et se tracasse sans arrêt à ce sujet.*

Commençons par distinguer tout de suite la *peur* de l'*anxiété*. La peur est souvent un sentiment utile et approprié, basé dans le réel et qui trouve sa source dans les idées raisonnables suivantes : « Certaines choses sont objectivement dangereuses ou déplaisantes. Comme je préfère les éviter le plus possible, je fais mieux de *faire attention*, de surveiller mon environnement pour me protéger contre les dangers éventuels qu'il pourrait renfermer.» Ainsi, il est approprié d'avoir peur de se noyer avant de plonger dans un lac inconnu, donc de sonder les eaux avant de s'y élancer. De même, il est raisonnable de craindre de perdre un emploi lucratif et agréable, donc de faire attention d'en remplir soigneusement les obligations. Un être humain qui n'aurait peur de rien ne survivrait pas très longtemps. Nous venons au monde avec une crainte instinctive d'un certain nombre de situations dangereuses, crainte qui nous permet de ne pas courir de risques exagérés.

L'anxiété est une autre affaire. Elle consiste avant tout en une peur *exagérée, irréaliste* et *inutile*. Comme l'explique Ellis, celui qui est anxieux ajoute toujours une troisième idée aux deux précédentes. Non seulement se dit-il: 1. «Cette chose est dangereuse pour moi» et 2. «Il vaut mieux que je fasse quelque chose pour m'en protéger», mais il ajoute: 3. «Puisque je suis une personne fondamentalement inadéquate, incompétente et sans valeur, et puisqu'une telle personne *ne peut pas* faire face adéquatement aux dangers réels qui la menacent, il m'est donc impossible de faire face à la situation dangereuse qui m'arrive; en conséquence, je ne peux rien faire pour me sauver moi-même, je suis perdu!» (Ellis, 1973, p. 148)

Examinons certaines des raisons qui rendent l'anxiété presque toujours inappropriée.

En premier lieu, devant ce qui apparaît comme un danger, il n'y a rien d'intelligent à faire comme de tenter d'abord de déterminer si, *en fait*, la chose est dangereuse, ensuite de prendre les mesures appropriées pour l'éviter ou s'en protéger. Les plaintes, les cris, les gémissements sur l'horreur de la situation ne la modifient en aucun cas. Au contraire, ces déversements émotifs ne font que diminuer ma capacité de me préparer adéquatement au danger et rendent ainsi ma situation plus dangereuse que nécessaire. Si ce danger ne peut être évité, et si je n'ai aucune arme pour y faire face, il ne me reste qu'à m'y résigner le plus calmement possible. Toute autre chose ne fera qu'empirer une situation déjà difficile. Ainsi, si je redoute d'échouer à un important examen, il m'est fort nuisible de m'énerver en me répétant qu'un échec serait horrible et catastrophique (ce qui est faux). En m'énervant ainsi, j'use des énergies que je ferais mieux de consacrer à préparer l'examen. J'ai le souvenir d'un confrère qui, pendant mes études en psychologie, fut ainsi recalé à son examen de synthèse. Il connaissait certainement sa matière autant que moi : nous avions préparé l'examen ensemble pendant trois mois. Mais il ne cessait de se répéter combien un échec serait épouvantable, il passait des nuits blanches à ruminer anxieusement les dangers qui le menaçaient. En conséquence de ces idées inexactes, il était dans un état de fébrilité très marqué au matin de l'examen. J'ai toujours pensé qu'il avait échoué non pas, d'abord, parce que les examinateurs doutaient de ses connaissances théoriques, vérifiées d'ailleurs maintes fois par des examens partiels au cours des cinq années précédentes, mais parce qu'ils conclurent qu'il valait mieux écarter de la profession de psychologue une personne dont l'éventuelle fonction serait d'aider d'autres humains à se défaire de leur anxiété et qui parvenait si mal à se débarrasser de la sienne.

Il faut aussi constater que, la plupart du temps, les dimensions des dangers qui nous menacent sont *exagérées*. Comme nous l'avons déjà mentionné, les vraies catastrophes sont très rares dans la vie de la plupart d'entre nous. Il est vrai que l'avion dans lequel nous prenons place s'écrasera peut-être, qu'on découvrira peut-être en nous un cancer incurable, que tous les êtres qui nous sont chers peuvent nous être ravis par un accident, mais à tout cela, *nous n'y pouvons rien*. Il est possible de vivre une vie raisonnablement heureuse sans courir chaque jour de nombreux risques. Sinon nous ne mettrions même pas les pieds hors de notre demeure, puisqu'il est vrai que la mort nous guette chaque fois que nous traversons une rue. Mais même enfermés à double tour dans notre maison, l'anxiété continuera à nous habiter puisque de nombreux dangers nous y menacent : un incendie peut se déclarer, une guerre atomique se déclencher ou un assassin forcer notre porte.

J'ai connu une consultante qui avait une phobie des chiens. Elle se répétait si souvent qu'il serait horrible qu'elle soit mordue par un de ces animaux qu'elle n'arrivait pas à sortir de chez elle sans avoir d'abord passé de longues heures à surveiller la rue par sa fenêtre. Après deux heures de surveillance, n'ayant vu aucun chien passer, elle s'élançait vers la porte. Mais au dernier moment, elle rebroussait chemin en se disant qu'il était possible qu'un chien ait apparu au coin de la rue pendant les quelques secondes qu'il lui avait fallu pour aller de la fenêtre à la porte. On voit bien ici que ce n'étaient nullement les chiens qui la terrifiaient, mais plutôt qu'elle se terrifiait elle-même en croyant qu'une morsure de chien était épouvantable, alors que, tout au plus, c'est un événement désagréable mais qui ne présente, en somme, que peu de danger.

Après tout, ce qui peut nous arriver de pire dans la plupart des cas, c'est que nous mourrions. Or, cela nous arrivera à tous, un jour ou l'autre, un peu plus tôt ou un peu plus tard, d'une manière ou d'une autre. Je ne dis pas que la mort soit une chose agréable, mais une chose aussi normale et universelle ne saurait être horrible, si ce n'est par une définition arbitraire.

Il est malheureux de constater qu'un certain nombre de « croyants » sont terrifiés par l'au-delà et passent leur vie à redouter de tomber pour l'éternité dans un enfer que leur imagination leur dépeint invariablement comme une fournaise épouvantable où ils seront condamnés à rôtir pour toujours. Ils sont ainsi victimes de notre idée déraisonnable numéro 3, croyant qu'ils sont des êtres méchants et pervers qu'un dieu juste et inflexible damnera «pour leur apprendre!».

Ce n'est pas ici l'endroit pour produire un traité d'eschatologie. Je dirai seulement qu'à tout prendre je préfère encore ne pas avoir la foi que de croire à un dieu aussi stupide et absurde. La notion d'un dieu punissant éternellement les humains de leurs erreurs et de leurs faiblesses est contradictoire et nie la notion même de Dieu. Si cette notion implique que Dieu est infiniment bon, juste et intelligent, je ne vois pas comment la concilier avec l'idée de ce même dieu prenant je ne sais quel plaisir sadique à plonger dans un malheur éternel des créatures qu'il a lui-même projetées dans l'existence. Que l'être humain soit souvent stupide, sot, rempli d'illusions et commettant maintes erreurs qu'il nuise à son propre intérêt, qu'il ait la tête farcie d'idées idiotes et qu'il traite lui-même et ses semblables avec des raffinements de cruauté, je le reconnaîtrai sans discussion: il me suffit d'ouvrir les yeux pour le constater. Mais je ne marche plus quand on en vient à attribuer à Dieu la même sottise et le même illogisme. Après tout, Dieu est censé être plus intelligent que les plus brillants d'entre nous, plus équilibré que les plus sains d'entre nous, plus maître de lui-même que les plus pondérés d'entre nous, plus raisonnable que les plus réalistes d'entre nous. Or, quel être humain, même le plus sot et le plus déséquilibré, condamnerait son fils à un châtiment éternel parce qu'il s'est trompé? Il faudrait qu'il soit complètement fou! Et si Dieu est fou, il ne saurait être Dieu. Si vous croyez à un tel dieu, vous auriez avantage à vous demander si vous avez vraiment la foi ou si vous n'ajoutez pas plutôt créance à des contes de bonne femme et à des racontars d'illuminés.

Dans un grand nombre de cas, notre anxiété vient aussi du fait que nous redoutons ce que les autres vont *dire* ou *penser* de nous. Pourtant, comme nous l'avons déjà démontré, ces dires et ces pensées ne présentent d'ordinaire pas le moindre inconvénient réel pour nous. On vous méprisera... Les gens diront que vous êtes un crétin, on traînera votre nom dans la boue. C'est fort désagréable, mais pourquoi augmenter votre souffrance en vous cassant la tête à propos de leur opinion ? C'est injuste et immérité ! Pas drôle, mais pourquoi vous gâter la vie encore plus en ressassant les amertumes de l'existence et l'iniquité des hommes ? Pardonner à vos ennemis et oublier leurs méfaits à votre égard n'est pas d'abord un acte vertueux, mais avant tout un moyen efficace de vous épargner des souffrances inutiles. Si je passe des années à me dire : « Machin Chouette est un beau salaud... il m'a ruiné... jamais je ne l'oublierai... », je ne réussis à faire de tort qu'à moi-même.

Soulignons aussi que, souvent, certaines choses ou personnes dont nous avons légitimement eu peur quand nous étions enfants ne sont plus menaçantes quand nous avons atteint l'âge adulte. À la différence de l'adulte, l'enfant ne maîtrise que peu son environnement et ses émotions, mais il n'est pas nécessaire qu'une fois devenu adulte il continue à revivre des craintes jadis appropriées, mais qui ont cessé de l'être avec le temps.

Isabelle fournissait un bel exemple de cette tendance. Elle avait perdu sa mère à sa naissance. Son père s'était remarié peu après et de ce second mariage étaient nés huit autres enfants. La belle-mère d'Isabelle n'avait pas d'affection pour elle ; elle la battait souvent et lui interdisait formellement de rouspéter, sous peine de sévères punitions. Dominé par sa femme, le père assistait passivement à ces mauvais traitements et ne témoignait lui-même que peu d'intérêt à sa fille.

Quand Isabelle commença d'aller à l'école, elle était déjà devenue une enfant craintive, redoutant toujours de recevoir une gifle. Quoique d'intelligence normale, comme des tests devaient plus tard le démontrer, elle n'ouvrait pas la bouche en classe, terrorisée par tout adulte ressemblant de près ou de loin à sa belle-mère. Cette apparente passivité amenait ses enseignants à la déclarer stupide ou arriérée, diagnostic auquel elle s'empressait d'ailleurs de concourir, puisqu'ainsi on la laissait tranquille.

Isabelle parvint de peine et de misère à se rendre jusqu'en neuvième année ; puis ses parents la retirèrent de l'école et la firent travailler à la maison. Elle quitta sans regret les études pour devenir à la maison une espèce de servante, en butte aux critiques et aux mauvais traitements de sa belle-mère et de ses frères et sœurs. Une vraie Cendrillon !

Quand je la rencontrai, elle avait vingt-cinq ans ; elle avait quitté la maison depuis cinq ans et travaillait comme bonne de cuisine et laveuse de vaisselle dans une institution religieuse. Même si ses conditions matérielles avaient changé et qu'elle ne recevait aucun mauvais traitement dans son travail, elle demeurait une jeune fille timide, craintive, renfermée, ayant peur de tout. Elle ne pleurait jamais, ne riait jamais, n'exprimait presque aucune autre émotion que la crainte.

Les premières entrevues furent assez pénibles, puisque Isabelle réagissait avec moi de la seule façon qu'elle connaissait quand elle était en présence d'adultes. Nous passâmes des heures à explorer lentement son passé et à mettre en place une relation qui lui permettrait de supporter la confrontation quand le temps en serait venu. Il était évident qu'elle déformait sa situation présente en fonction de ses situations passées et qu'elle continuait à réagir comme si cette situation passée durait toujours, alors qu'il n'en était rien. Sa réaction de crainte et de timidité avait déjà été appropriée quand elle était enfant, mais il était irréaliste qu'elle la maintînt alors que les circonstances avaient changé.

De tout cela je ne soufflai cependant mot, craignant qu'elle n'interprète mes interventions comme des reproches et ne retombe ainsi encore plus profondément dans ses idées irréalistes.

Petit à petit, je commençai à lui montrer que l'anxiété qu'elle éprouvait dans presque toutes les situations sociales trouvait son origine *historique* dans l'enfance malheureuse qu'elle avait connue, mais que, puisque cette enfance était maintenant terminée, son anxiété ne pouvait survivre que grâce aux idées qu'elle hébergeait dans son esprit et par lesquelles elle se convainquait, sans y prendre garde, du danger illusoire des relations interpersonnelles.

« Ainsi, lui disais-je, comment se fait-il que tu ne réussisses pas à parler avec ta patronne ? Est-elle méchante et agressive envers toi A-t-elle tendance à te punir ?

— Non, pas du tout, elle est très douce et compréhensive. Mais je ne sais pas... je suis timide... j'ai toujours été timide.

— Pas du tout, Isabelle, tu n'es pas venue au monde timide. As-tu déjà vu un bébé timide ?

— Non... mais alors, c'est que j'ai dû *apprendre* à être timide.

— Presque certainement. Rien ne nous permet de supposer qu'il y ait quoi que ce soit dans ton organisme qui te rende fondamentalement timide. Comme tu le dis, tu as *appris* à réagir de cette façon, probablement très jeune, à l'occasion des reproches et des mauvais traitements de ta belle-mère. Pourtant, ce ne sont pas ces mauvais traitements qui t'ont rendue timide et renfermée comme tu l'étais.

— Ah non ? Mais quoi alors, puisque je ne suis pas venue au monde ainsi ?

— Ce ne peuvent être que les phrases que tu as dû te répéter pendant toute ton enfance. Des phrases telles que : "Comme je suis malheureuse ! Ma mère m'a laissée orpheline et ma belle-mère me déteste ! Comme tout cela est injuste ! Et mon père, qui devrait intervenir et me défendre, quel lâche! Il ne fait rien. Je suis seule au monde. Je ne peux pas me défendre; ils sont trop forts pour moi."

— C'est tout à fait comme vous dites. Combien de nuits j'ai passées à pleurer dans mon lit en pensant à ma mère et en la priant de venir me chercher plutôt que de continuer à vivre une vie aussi malheureuse.

— Eh oui!... et je te parie que tu comparais ta belle-mère aux mères des autres enfants, que tu devais trouver gentilles et aimables, alors que ta belle-mère ne manquait pas une occasion de te faire mal.

— Oui, c'est bien cela. J'avais si honte de mes parents que je n'aurais jamais voulu que les autres petites filles à l'école ni mes institutrices sachent comment j'étais traitée à la maison.

— Commences-tu à voir maintenant comment tu t'y es prise pour te donner toutes ces émotions désagréables, pour devenir timide et renfermée?

— Si je comprends bien, c'est en me répétant à moi-même toutes ces phrases et en *croyant* que j'étais la plus malheureuse des petites filles?

— C'est ça, au moins en partie. Car, quand tu étais enfant, tu avais raison de redouter ta belle-mère, puisqu'elle te frappait durement et que tu étais trop faible pour te défendre. Mais aujourd'hui, il y a bien longtemps que personne ne t'a attaquée physiquement.

— C'est vrai. Mais alors, comment se fait-il que j'aie encore peur des gens, peur de dire ce que je pense, de m'opposer aux autres?

— Cherche, Isabelle, tu ne peux pas être loin de la réponse.

— C'est que je continue à me dire que les gens sont dangereux et qu'ils peuvent me blesser?

— Très probablement, puisque, dans la réalité, la vie que tu mènes maintenant ne comporte pas de dangers objectifs qui puissent expliquer la peur et l'anxiété en toi. Il faut donc que tu sois en train de la perpétuer sans t'en rendre compte, par ta pensée.

— Mais alors, c'est ma pensée qu'il faut corriger, si je veux cesser d'avoir toujours peur des gens.

— En effet, c'est là une première étape très importante. Prenons une occasion récente où tu t'es sentie angoissée, à ton travail, par exemple.

— C'est facile. Hier encore, ma patronne m'a demandé de faire plus attention en épluchant les légumes et d'avoir soin d'enlever toute la pelure sur les pommes de terre.

— Et alors?

— Eh bien, je suis restée figée. Le cœur me battait à tout rompre et j'avais une boule dans la gorge, comme si j'allais étouffer.

— Bon, c'est un bon exemple. Ça semble bien être une bonne crise d'anxiété. Qu'est-ce que tu t'es dit quand la patronne t'a parlé?

— Eh bien, je me suis sentie comme quand j'étais petite et que ma belle-mère s'apprêtait à me battre.

— Bien sûr, mais qu'est-ce que tu te *disais* dans ta tête?

— Je me suis dit: "Je ne suis même pas capable d'éplucher des pommes de terre. Si je continue à faire des gaffes, elle va me mettre à la porte…"

— Et alors, quel malheur, quelle catastrophe, comme tout cela est injuste… Pauvre de moi, comme je suis misérable!

— Oui, à peu près ça, dit-elle en souriant légèrement. Mais je me suis dit autre chose aussi.

— Ah oui? Quoi donc?

— Je me suis dit: "Je ne devrais pas réagir comme ça. Je suis une vraie malade. Ma patronne est gentille et je ne devrais pas paniquer chaque fois qu'elle me fait une remarque."

— Ah ! je vois. Tu as dû te sentir très bien après un tel discours !

— Je suis allée aux toilettes et j'ai pleuré pendant dix minutes. Puis, j'ai fait des bêtises tout le reste de la journée.

— Nous voilà bien avancés. Tu es vraiment experte à te rendre anxieuse. Non seulement tu es anxieuse à l'occasion des événements de ta vie, mais tu deviens anxieuse d'être anxieuse. Il est grand temps que tu te mettes au travail et que tu commences à confronter toutes ces idées pernicieuses.

— Mais est-ce que je vais m'en sortir, en chassant toutes ces idées noires de ma tête ?

— C'est une première étape qui semble indispensable. Laisse-moi te dire qu'il s'agit d'ailleurs de chasser ces idées non pas parce qu'elles sont *noires*, mais parce qu'elles sont *fausses*. Il ne s'agit pas de t'encourager toi-même en te racontant de belles histoires ou en refusant de voir en face les aspects authentiquement difficiles de ta vie pour ne porter ton attention que sur le positif. L'optimisme n'est pas plus efficace que le pessimisme à la longue et il vaut mieux s'en tenir au réel, considéré sous *tous* ses aspects, puisque c'est tout ce qui existe, *en fait*.

— Vous avez raison. J'avais une amie, il y a quelques années, en qui j'avais bien confiance, et qui me répétait toujours de voir le beau côté des choses, de penser combien il y en avait de plus malheureux que moi, de penser que si personne ne m'aimait, je pouvais au moins être sûre que ma mère morte m'aimait bien et que j'étais la fille chérie de Dieu. J'ai essayé, mais ça n'a jamais marché très bien. Je retombais toujours dans mon angoisse à la première occasion.

— C'est à peu près toujours ce qui arrive avec cette méthode, puisque, même au moment où tu te répétais toutes ces belles choses, tu continuais d'autre part à croire qu'il était épouvantable que ta mère soit morte en te mettant au monde, que tu étais condamnée à mener une vie misérable et tout le reste. Comme tu continuais à entretenir toutes ces pensées et que ce sont elles qui sont la cause première de ton anxiété, il s'ensuit que tu demeurais angoissée au fond et que cette angoisse se manifestait de nouveau à la moindre occasion. Ainsi, la première chose à faire, c'est de constater que tu perpétues ton anxiété en te parlant comme tu le fais.

— Ça, j'en suis convaincue. Je vois bien que c'est ce qui se passe chaque fois.

— Eh bien, il te reste maintenant à passer à l'offensive de deux manières principales. D'abord, en critiquant et en confrontant tes idées irréalistes, ensuite, en passant à l'action dans le concret et en te forçant toi-même à faire les gestes que tu as peur de faire.

— Je vois ce que vous voulez dire, mais ne vais-je pas me donner de nouvelles anxiétés en essayant ainsi de me forcer ?

— Pas du tout, tant que tu ne te mettras pas dans la tête de faire ces nouveaux gestes de façon parfaite ! Les efforts et le travail n'ont jamais causé une once d'anxiété à personne. Es-tu anxieuse quand tu pèles tes pommes de terre ?

— Non, pas d'ordinaire.

— Mais tu le deviendrais vite si tu essayais de les peler *parfaitement* ! Ça, je peux te le promettre !

— Mais comment vais-je m'y prendre pour passer à l'action, comme vous dites ?

— Eh bien, regarde toi-même. Qu'est-ce que tu peux faire concrètement pour t'habituer à communiquer avec les autres, par exemple ?

— Je pourrais aller dîner avec l'une des autres filles qui travaillent avec moi.

— Ça semble une bonne idée. Et si elle refuse ?

— Si elle refuse, je demanderai à une autre, en me disant que la première peut avoir ses raisons à elle de ne pas manger avec moi et que même si elle ne m'aime pas, c'est son problème et non le mien.

— Voilà, c'est tout à fait ça. Quand vas-tu demander à une autre de venir dîner avec toi?

— Eh bien, pourquoi pas demain? Il ne sert à rien d'attendre davantage. Je vais demander à Julie, elle a l'air bien gentille.»

Le lendemain, Isabelle demanda à Julie de partager son heure de lunch. Pour des raisons inconnues, Julie refusa. Sans se laisser démonter, elle demanda alors à une autre qui, elle, accepta de bon cœur.

Durant les mois qui suivirent, Isabelle continua à se fixer des objectifs de plus en plus difficiles. Elle remporta des victoires qu'elle ne se serait jamais crue capable de remporter. Son anxiété baissant, elle devint de plus en plus enjouée et accueillante. Ce fut une merveille de voir cette jeune fille, auparavant si rabougrie et taciturne, s'épanouir graduellement. Même son apparence physique s'en ressentit. Elle se mit à faire un peu de sport et retrouva bientôt un teint radieux. Parce qu'elle se méprisait de moins en moins, elle prit un meilleur soin de sa personne, choisit ses vêtements avec plus de goût et découvrit bientôt qu'elle n'avait plus besoin de maquiller les poches qu'elle avait auparavant sous les yeux et qui étaient dues à ses insomnies prolongées.

Tout cela ne fut pas un miracle, mais une démonstration éclatante de la capacité d'un être humain de changer sa vie, pour peu qu'il sache où concentrer ses efforts et qu'il consente à expulser résolument ses idées irrationnelles et à passer à l'action dans le concret de ses actes quotidiens.

Aujourd'hui, je ne rencontre plus Isabelle qu'en de rares occasions. Elle sait très bien comment s'y prendre pour combattre son anxiété. L'autre jour, elle m'a écrit: «La vieille Isabelle, toute peureuse et repliée sur elle-même, je pense bien que je l'ai définitivement tuée. La nouvelle vit, et c'est magnifique!»

Tâchons de résumer brièvement les principales tactiques que vous pouvez utiliser pour combattre votre anxiété et vous en débarrasser.

Premièrement, vous avez avantage à dépister les idées qui sous-tendent votre anxiété. Très souvent, vous découvrirez que ces phrases sont des exclamations, comme : « C'est épouvantable !... Ce serait effrayant ! Quelle horreur !... » Demandez-vous ensuite avec insistance si ce qui vous menace est vraiment épouvantable, effrayant ou horrible, ou n'est pas plutôt seulement malcommode, désagréable ou embarrassant. Si tel est le cas, prenez clairement conscience de la réalité et de votre tendance à tout tourner en catastrophe, redites-vous des phrases rigoureusement réalistes, et il serait surprenant que vous ne sentiez pas bientôt votre anxiété diminuer ou même disparaître.

Deuxièmement, si la situation dans laquelle vous vous trouvez est objectivement dangereuse, examinez vos possibilités de la changer ou de l'éviter. Ainsi, si vous avez à conduire votre voiture sur une route verglacée, voyez si vous ne pouvez pas différer votre voyage, prendre une autre route ou équiper votre voiture de pneus antidérapants. Si tout cela est impossible, il ne vous reste qu'à accepter l'inévitable sans vous tourmenter ni vous angoisser, ce qui ne contribuerait qu'à rendre plus probable l'accident que vous voulez éviter. Pour vous calmer autant que possible, vous pouvez vous redire qu'il est malheureux que vous soyez forcé de courir ce risque, mais que cela fait partie d'une vie normale, qu'il ne vous sert à rien de vous inquiéter et que, même s'il est possible que vous ayez un accident, cela n'est qu'une possibilité et non une certitude.

Troisièmement, il ne sera guère suffisant d'utiliser votre seule pensée pour vous débarrasser de certaines de vos peurs exagérées. Il vous faudra aussi passer à l'action, sans attendre que la peur ait totalement disparu. Ainsi, si vous avez une peur exagérée de prendre le métro, rendez-vous compte que vous avez créé votre anxiété par votre langage intérieur en vous répétant qu'il serait épouvantable qu'un accident ou une panne se produise, que vous vous évanouiriez certainement, que vous ne sauriez que faire pour vous en tirer, etc. Passez ensuite à l'action, en prenant le métro, d'abord pour de courtes distances peut-être, tout en continuant intérieurement à vous répéter des phrases réalistes. Beaucoup de gens commettent l'erreur d'attendre que leur peur ait complètement disparu avant de s'aventurer à faire des gestes qu'ils redoutent. Ils perdent ainsi beaucoup de temps, puisque l'action et la réflexion sur les résultats de l'action sont des moyens très efficaces de faire disparaître les craintes irréalistes. Cessez donc de vous dorloter et engagez-vous résolument dans l'action. Ne vous répétez surtout pas que vous êtes incapable de faire tel geste, puisque, presque toujours, cela est tout à fait *faux*.

Quatrièmement, si vous vous examinez avec soin, vous constaterez souvent que sous votre peur apparemment objective se cache la peur irréaliste de déplaire à quelqu'un ou d'essuyer ses critiques. L'une de mes consultantes, une femme d'une cinquantaine d'années, refusait ainsi de conduire l'auto de son mari, même si cela lui aurait été bien utile. Pour se justifier, elle disait qu'elle avait peur d'être impliquée dans un accident, même léger, d'égratigner le fini étincelant du chariot familial. Au fond, comme elle le reconnut bientôt, elle avait plutôt peur des réprimandes de son mari, qui idolâtrait sa voiture, et qu'il ne manquerait pas de lui adresser dans pareille éventualité.

Vous avez avantage à confronter rigoureusement ces peurs injustifiées et à prendre conscience que les reproches et les critiques, même justifiées, ne sauraient vous troubler que si *vous* leur attachez de l'importance.

Cinquièmement, autant il est avantageux que vous n'exagériez pas la grandeur des dangers qui vous menacent, autant il est souhaitable que vous n'amplifiez pas l'importance des choses agréables que vous possédez. Il ne s'agit cependant pas de tenir tout pour cendre et poussière, puisque cela aussi est inexact.

Sixièmement, vous pouvez utiliser la diversion pour pallier temporairement votre anxiété. Quoique cette technique ne soit pas efficace à longue échéance, elle peut vous permettre de surmonter plus élégamment vos peurs déraisonnables. Si vous vous sentez anxieux à la perspective de prendre la parole devant un auditoire, la démarche la plus efficace consisterait à confronter vos idées irréalistes, source de votre anxiété. Mais vous pouvez aussi vous aider en concentrant votre attention sur le texte de votre allocution plutôt que sur les réactions de vos auditeurs.

Septièmement, rappelez-vous que bien des peurs jadis appropriées à votre condition d'enfant ont cessé de l'être maintenant que vous êtes adulte. Votre père pouvait vous réchauffer le postérieur quand vous aviez sept ans, mais il est improbable que votre patron fasse de même, maintenant que vous en avez vingt-cinq!

Terminons en rappelant que vous ne parviendrez probablement jamais à faire disparaître tout à fait vos peurs irréalistes. Même en consacrant des efforts considérables à déraciner vos pensées déraisonnables, il est probable qu'un certain nombre d'entre elles continuent à mener une existence larvée dans votre esprit pour reparaître à l'occasion. La lutte contre ces idées ressemble souvent au combat entre deux armées ennemies. Même si l'une des armées remporte la victoire et occupe le territoire de l'adversaire, il lui restera à supprimer progressivement les îlots de résistance qui subsisteront sur ses arrières, à réduire au silence les quelques francs-tireurs qui continueront à la harceler.

Il serait dommage que votre perfectionnisme vous amène à troquer votre anxiété pour des sentiments de culpabilité ; vous n'auriez pas gagné beaucoup au change. Il est cependant réaliste de vous attendre à vous défaire de la majeure partie de votre anxiété si vous menez contre elle, par la pensée et par l'action, la double offensive que nous avons décrite dans ce chapitre.

CHAPITRE XI

« C'EST TROP DIFFICILE... »

Le terme *discipline* a mauvaise presse. Il évoque les ordres brutaux du sergent instructeur, les défilés au pas cadencé ou les exigences draconiennes des « préfets » de notre temps de collège, quand ce n'est pas les macérations des moines médiévaux.

Pour beaucoup de nos contemporains, parler de discipline personnelle est aussi malsonnant que de parler de corde dans la maison du pendu ; on fait tout de suite figure de père fouettard ou de rabat-joie.

Nombre de gens souscrivent ainsi sans réserve à notre idée déraisonnable numéro 7 : *Il est plus facile d'éviter les difficultés et les responsabilités que d'y faire face en se disciplinant soi-même*, menant leur vie selon les principes d'un hédonisme à courte portée, avec des conséquences presque toujours désagréables.

Il est pourtant important de se rappeler que la valeur d'un moyen ou d'une action quelconque n'est pas à juger en fonction de considérations possiblement secondaires comme son élégance, le plaisir que son usage apporte à celui qui l'utilise ou sa popularité, mais d'abord en fonction de son rapport avec l'objectif qu'il est censé permettre d'atteindre. Si j'ai à enfoncer un long clou dans le mur, je n'ai que faire d'un élégant petit outil ; il me faudrait un solide marteau ! Tout autre choix ne m'amène qu'à me tromper moi-même et à m'écarter de mon objectif, même si, immédiatement, je puis me sentir gratifié par le moyen inadéquat que j'utilise. En général, les demi-mesures n'apportent à la longue que frustration.

Prenons le cas de quelqu'un qui a mal aux dents, mais qui s'est convaincu par ses pensées déraisonnables qu'une visite chez le dentiste est une chose effroyable. Il tente d'oublier son mal, avale des cachets d'aspirine, laisse traîner les choses en longueur, préférant des solutions immédiates et plus faciles à la solution véritable, plus difficile. Quand enfin, n'en pouvant plus, il se présente chez le dentiste, c'est trop tard et il faut lui enlever une dent que des soins plus efficaces lui auraient permis de conserver, tout en évitant entre-temps les souffrances parfaitement inutiles qu'il s'est infligées par son indécision.

Il est fréquent que des situations problématiques se détériorent avec le temps et qu'il faille utiliser à la longue des procédés beaucoup plus radicaux que ceux auxquels on aurait dû recourir si l'on s'y était pris à temps.

C'est ce qui était arrivé à Béatrice. Quand je commençai à la rencontrer, elle avait trente ans et était célibataire. Depuis des années, elle était la maîtresse d'un homme marié qui venait chercher auprès d'elle la confirmation d'une virilité hésitante. Cet individu était doté d'un caractère très infantile. Il pouvait combler Béatrice de faveurs et de cadeaux un jour et le lendemain la semoncer vertement pour une peccadille. Il l'exploitait sans vergogne, lui empruntant de l'argent qu'elle ne revoyait jamais, l'utilisant pour faire ses courses. Il ne lui cachait pas non plus qu'il entretenait des relations intimes avec d'autres femmes. Cette chère Béatrice endurait le tout avec plus ou moins de bonne grâce. Quand je lui demandai pourquoi elle ne mettait pas carrément le monsieur à la porte et ne tentait pas de nouer des relations plus agréables avec d'autres hommes, elle me répondit qu'elle redoutait de se retrouver toute seule, que Robert était bien charmant à certains moments et qu'elle n'avait pas le courage de lui signifier son congé. Quand Robert se montrait par trop désagréable, elle lui piquait une crise et les choses rentraient dans l'ordre jusqu'à la prochaine fois.

Pendant tout ce temps, Béatrice ne rajeunissait pas. Elle demeurait complètement isolée, n'avait ni amis ni relations autres que Robert et voyait diminuer rapidement en nombre d'éventuels compagnons de vie. Elle se rendait bien compte qu'en remettant toujours à plus tard les démarches appropriées, elle ne nuisait qu'à elle-même, mais elle ne parvenait pas à se résoudre à faire face à la situation et à accepter d'abandonner un plaisir immédiat (quoique bien dilué) en vue d'obtenir un bonheur plus grand.

Comme bien des gens, elle se cramponnait à ce qu'elle possédait, craignant de tout perdre si elle l'abandonnait, refusant de tenter le tout pour une vie plus heureuse, mais dont elle n'avait pas la certitude. En conséquence, elle sabotait sa propre vie avec encore plus d'efficacité que n'aurait pu le faire son pire ennemi. Tout cela, faute de décider de faire face à la difficulté de renvoyer son amant et de se retrouver seule, pour un certain temps.

En fait, des personnes comme Béatrice conservent à l'âge adulte une attitude caractéristique de l'enfance. Quand un bébé qui a faim ou soif se met à crier, sa mère, en général, s'occupe de lui et lui met bientôt un biberon entre les lèvres. Pour le bébé, de là à s'imaginer que ce sont ses cris et ses pleurs qui ont fait apparaître le biberon, il n'y a qu'un pas. Il acquiert ainsi la notion qu'il lui suffit, lorsqu'il désire quelque chose, d'exprimer ce désir avec assez de véhémence pour qu'il soit satisfait. C'est là un exemple de ce qu'on a appelé la pensée magique, prélogique.

Certaines personnes semblent continuer à croire pendant des années qu'il leur suffit de *vouloir* un résultat pour qu'il se produise. Il n'en est évidemment rien, mais les déceptions successives ne semblent pas les amener à voir l'erreur de leurs conceptions ni à concevoir qu'en cette vie, rien n'est gratuit, tout se paie, soit en argent, soit, le plus souvent, en efforts personnels.

Il semble donc clair que l'attitude qui consiste à ne rechercher que des résultats immédiatement agréables ne conduise à la longue qu'à une frustration accrue.

« Mais, direz-vous, n'affirmez-vous pas vous-même qu'il est préférable pour un être humain de toujours faire ce qu'il veut au moment où il le veut, que c'est là l'essence de la liberté ? »

Je n'ai jamais rien dit de tel, du moins pas dans le sens où j'aurais recommandé l'hédonisme immédiat comme une source de bonheur durable. Au contraire, j'affirme que l'hédoniste, à court terme, ne sait pas vraiment jouir de la vie. Par sa voracité à jouir des bonheurs passagers, il se prive sottement de bonheurs beaucoup plus substantiels et permanents, mais dont l'atteinte exigerait de lui des efforts qu'il refuse de fournir. Loin d'être libre, il est au contraire prisonnier de son impulsivité et de son manque de discipline personnelle.

Je sais bien qu'au nom de cette discipline personnelle on a commis des excès stupides et que, par exemple, on a obligé les enfants à faire un tas de choses pénibles qui ne leur ont été plus tard d'aucune utilité. Mais ce n'est pas parce qu'on a abusé de l'autodiscipline qu'il faut en conclure qu'elle est nuisible ou inutile en elle-même, pas plus qu'il ne serait raisonnable de conclure que, parce qu'on s'est rendu malade à boire trop de vin, le vin est mauvais !

Il ne s'agit donc pas de se soumettre à un régime prussien et de faire de soi un automate. Il est maladif de se mettre sur le dos un grand nombre de pseudo-obligations et de se forcer à des rituels inutiles. Ce n'est pas faire preuve d'autodiscipline mais plutôt d'un manque de souplesse que de n'admettre aucune exception à son horaire quotidien, de faire tous les jours les mêmes choses aux mêmes heures. Cette attitude recouvre habituellement beaucoup d'anxiété que la personne s'efforce de combattre en adoptant un comportement stéréotypé et rigide. Il s'agit plutôt d'en arriver à déterminer quelles sont les actions vraiment essentielles – elles seront toujours en petit nombre –, qu'elles soient nécessaires en elles-mêmes (manger, boire, s'abriter, dormir) ou qu'elles le deviennent à cause de leur liaison logique avec un but qu'on se propose d'atteindre. Il ne reste ensuite qu'à les accomplir le plus rapidement et le plus efficacement possible, sans se plaindre ni regimber comme un enfant, bien qu'elles puissent être difficiles ou dangereuses.

Il vous sera plus facile d'arriver à ce degré utile d'autodiscipline si vous prenez soin, encore une fois, de dépister vos phrases intérieures irréalistes concernant ce sujet. Ce pourraient être des phrases comme : « Je n'arriverai jamais à me discipliner moi-même… C'est plus facile de rester comme je suis… Il vaut mieux jouir de ce qui passe… » Vous aurez avantage à les remplacer par des pensées réalistes comme : « Bien qu'il soit difficile de me discipliner, je peux y arriver avec du temps et des efforts… Il est peut-être difficile d'accomplir cette tâche, mais elle ne saurait être *trop* difficile que si je la définis ainsi… Il est peut-être plus facile *pour l'instant* de rester comme je suis, mais cela ne m'est pas avantageux à plus longue échéance… Il est bon de jouir de ce qui passe, tant que cela ne m'empêche pas de pouvoir vivre une vie plus agréable plus tard. »

Vous pouvez parfois vous aider en adoptant des tactiques qui vous rendent la tâche plus facile. Ainsi, il est souvent utile de fractionner ses objectifs en sous-objectifs limités, de planifier une action longue et complexe en la divisant en ses éléments constitutifs. Si vous voulez cesser de boire avec excès, devenir un bon cavalier, perdre 10 kilos ou apprendre à confronter efficacement vos idées, vous y parviendrez plus facilement en vous y prenant une journée à la fois, plutôt qu'en essayant de tout faire d'un seul coup. Le romancier Graham Greene raconte dans son autobiographie qu'il a réussi à écrire ses œuvres en s'astreignant à noircir chaque jour un certain nombre de pages.

Comme pour presque tout, les débuts d'une entreprise d'autodiscipline ne sont pas faciles. Ce n'est qu'avec le temps et la répétition des gestes que les choses deviennent plus aisées. Vous faites donc mieux d'accepter qu'il vous sera difficile de commencer à suivre un régime alimentaire plus approprié, de vous lever le matin à une heure adéquate ou de vous habituer à contrôler vos impulsions. Il pourra même être utile, pendant un temps, de vous donner vous-même des « garde-fous » destinés à vous retenir sur la pente de votre inertie naturelle. Ainsi, vous pouvez vous autoriser à entreprendre une activité plaisante uniquement après avoir accompli des actes plus difficiles, mais utiles ou même nécessaires. Regardez votre émission de télévision favorite, mais uniquement après avoir nettoyé la maison ; prenez une bière, mais seulement si vous avez atteint votre objectif raisonnable.

Vous me direz que cela sent la petite école et le dressage de chiens savants. Je vous répondrai que la valeur du moyen est à juger en fonction de son efficacité, abstraction faite de toute autre caractéristique. Si vous pouvez vous dispenser de tels moyens, bravo ! Mais n'oubliez pas que vous êtes humain, donc très imparfait et faillible.

Tout cela est bien difficile, c'est vrai, mais voilà en quoi consiste la vie de la plupart d'entre nous. Il est encore bien plus désavantageux de se laisser aller passivement et de refuser de se discipliner intelligemment. Si vous voulez vraiment jouir de la vie, si vous êtes vraiment préoccupé de votre plaisir et de votre bonheur, il vous sera indispensable d'introduire dans votre vie une dose appréciable d'autodiscipline.

CHAPITRE XII

« MAIS, MON PASSÉ... »

« Que voulez-vous... avec l'enfance que j'ai vécue, je ne peux pas m'attendre à être autrement que je suis. »

Mon consultant, ce jour-là, était un homme d'une trentaine d'années que nous appellerons Basile. Il continua à me raconter son histoire sur le ton qu'on prendrait pour décrire les funérailles d'un chef d'État.

« Mon père a toujours été un ivrogne. Il buvait du gin comme de l'eau, perdait ses emplois et n'était presque jamais lucide. Ma mère a bien essayé de le corriger, mais, avec le temps, c'est elle qui a cédé et qui s'est mise à boire aussi, de désespoir. Elle est morte d'une cirrhose quand j'avais douze ans. Comme mon père était incapable de s'occuper de moi, j'ai été recueilli par mon parrain et ma marraine, des gens très bons mais très scrupuleux. Ma marraine surtout était vraiment malade. Elle passait de nombreuses journées alitée, se plaignant d'une variété de maladies que les médecins n'ont jamais réussi à déterminer nettement. On lui disait que c'était "ses nerfs" ! Vous comprendrez donc qu'à la suite de cette enfance je resterai toujours un être peureux et hésitant, redoutant toujours que de nouveaux malheurs ne me tombent sur la tête. »

Il était clair que mon consultant avait ancré fermement dans son esprit l'idée déraisonnable numéro 8 : *Notre passé a une importance capitale, et il est inévitable que ce qui nous a déjà affecté profondément continue à le faire pendant toute notre vie.*

Il est dramatique de constater combien de gens croient à cette bêtise avec une ardeur maléfique.

« Comment ! Vous appelez bêtise les grandes découvertes de Freud ? Que faites-vous des innombrables recherches qui prouvent l'influence déterminante de l'enfance sur le développement ultérieur de l'être humain ? Que faites-vous de toutes les découvertes des behavioristes qui montrent bien la connexion entre nos actes, adultes, et les conditionnements que nous avons subis quand nous étions petits ? »

Je ne nie rien de tout cela ni ne minimise l'importance capitale des découvertes de la psychanalyse et des psychologues du comportement. Mais je m'insurge contre la déformation que tant de gens font subir à ces découvertes, en transformant une *influence* en un *déterminisme*, en affirmant que tout est réglé à l'âge de cinq ans et qu'il n'y a rien à faire par la suite. La fausseté de ces allégations apparaîtra à la suite des considérations suivantes.

Tout d'abord, un effet ne saurait subsister quand sa cause est disparue. Il ne continue pas à pleuvoir quand les nuages sont dissipés et les clous n'entrent pas tout seuls quand j'arrête de me servir du marteau. Donc, si je continue à me sentir timide quand les gens qui provoquaient ma timidité sont disparus, c'est que, de quelque manière, je continue à entretenir ma timidité qui originellement s'est développée au contact de ces gens. Il s'ensuit que si je l'entretiens, causant ainsi ma propre névrose, il m'est aussi possible, quoique peut-être difficile, de cesser de l'entretenir et de changer. Si, quand j'étais enfant, j'ai dû me plier aux exigences déraisonnables et inadéquates de mes parents, rien ne démontre qu'il faille que je continue à agir de même quand j'ai vingt-cinq ans. Il est important de se garder de généraliser de façon abusive, ce qui constitue une des manœuvres les plus destructrices auxquelles un être humain puisse se livrer. Qu'une chose soit vraie en certaines circonstances ne veut pas nécessairement dire qu'elle soit vraie dans tous les cas.

Si votre grand frère a passé son temps à vous botter le derrière pendant toute votre enfance et que vous avez dû, de votre mieux, vous défendre contre ses agressions, cela ne prouve pas qu'il vous faille traverser la vie en voyant en chacun de vos compagnons un adversaire potentiel. Si vous avez redoublé votre quatrième année, il n'est pas indispensable que vous vous traitiez comme un arriéré toute votre vie! Si votre mère vous a dorloté quand vous étiez enfant et que vous aviez une santé chétive, il n'est pas nécessaire que vous passiez le reste de votre existence à rechercher seulement des femmes enveloppantes et protectrices, alors que vous êtes devenu fort comme un taureau!

Si vous êtes face à un nouveau problème, il vous sera souvent peu profitable de vous rabattre sur des solutions que vous avez déjà utilisées. Et puis, il n'y a rarement qu'une seule façon de régler une question et si vous vous emprisonnez dans vos manières passées d'agir, vous vous priverez d'une solution plus adéquate. Tout change: les problèmes, le monde dans lequel vous vivez, vous-même, et les solutions traditionnelles ne sont pas toujours les meilleures, comme le prouve l'état de désarroi dans lequel se trouvent de nombreux organismes qui n'ont pas su inventer des solutions nouvelles à des problèmes nouveaux.

Si, dans certains cas, vous ne vous causez pas de sérieux tracas en vous attachant mordicus à vos manières dépassées de penser et d'agir, il arrivera souvent qu'en vous comportant ainsi, vous vous priverez de nouvelles expériences que vous auriez pu trouver très intéressantes et enrichissantes. Par exemple, si vous persistez, à l'âge adulte, à avoir uniquement des comportements homosexuels parce que vous les avez trouvés agréables quand vous aviez seize ans et que vous croyez erronément que vous êtes pour toujours fixé dans ce type de sexualité, vous vous empêchez de découvrir les plaisirs de l'hétérosexualité et les avantages qu'elle comporte. Pratiquez l'homosexualité si vous le voulez ; c'est en général un comportement inoffensif qui, en lui-même, ne vous causera pas de graves problèmes, à moins que vous ne vous disiez que vous êtes un monstre, mais ne rayez pas d'un trait de plume une expérience que beaucoup d'humains s'accordent depuis longtemps à trouver agréable.

J'ai connu un consultant qui, parce qu'il avait eu un accident de voiture quand il avait vingt ans, avait ensuite refusé systématiquement de toucher à un volant pendant les dix années suivantes. L'accident s'était produit alors que son frère tentait de lui enseigner à conduire. Parce qu'il l'avait défini comme une chose épouvantable et qu'il s'était jugé lui-même incompétent, ce monsieur était de fait demeuré incompétent, remplissant ainsi la prophétie qu'il avait lui-même proférée. Il parvint éventuellement à prendre de nouvelles leçons de conduite et à devenir un conducteur acceptable, mais non sans avoir d'abord débarrassé son esprit de la notion absurde que son passé, sur ce point, définissait son présent.

Il est vrai que les êtres humains ne changent pas facilement et que nous avons une tendance marquée à répéter sans cesse les mêmes *patterns* d'action. Cela n'est pas dû à l'influence magique de nos actes passés, mais bien au fait que nous nous endoctrinons nous-mêmes sans arrêt, nous répétant inlassablement un certain nombre d'idées absurdes apprises pendant notre enfance, sans jamais nous attarder à en vérifier l'exactitude. Il est évident que quelqu'un qui se répète pendant des années qu'il est terrible de faire une erreur, leçon apprise sur les genoux de sa mère, se sentira infériorisé et coupable chaque fois qu'inévitablement il se trompera. Ces sentiments ne sont pas dus d'abord à quelque séquelle miraculeuse de son enfance, mais bien au fait qu'il continue à croire, *actuellement*, cette notion. Qu'il cesse d'y *croire*, en confrontant ses idées avec la réalité, et il se trompera désormais sans en ressentir anxiété ou culpabilité, mais tout au plus de la frustration.

En résumé, tout en comprenant que votre passé influence beaucoup votre présent, primordialement parce que vous y avez acquis les pensées qui vous troublent aujourd'hui, gardez-vous d'ajouter une autre pensée irréaliste à celles déjà nombreuses que vous avez héritées de votre entourage : la pensée que ce passé est irréversible et doit fatalement vous conditionner pour le reste de vos jours. Comme le souligne Ellis (1961, p. 191), *souvenez-vous que votre aujourd'hui est votre passé de demain* et que vous pouvez commencer aujourd'hui à vous construire un passé plus heureux que celui que vous avez connu. Sans doute ne changerez-vous pas en une nuit, mais si vous cessez de considérer votre passé comme un élément totalement paralysant pour le voir plutôt comme une source de blocages partiels, vous pourrez peu à peu modifier vos idées et votre conduite, et vivre ainsi une vie plus heureuse. Vous ne pourrez jamais changer votre passé : il fut ce qu'il fut, pour le meilleur comme pour le pire. Mais soyez bien conscient que vous n'en êtes pas prisonnier, car de cette prison *vous* avez la clef dans votre poche.

Vous avez également avantage à ne pas gaspiller vos efforts à nier vos erreurs passées ou à vous en blâmer sévèrement. La première attitude ne vous portera qu'à répéter les mêmes erreurs, et la deuxième ne fera que vous déprimer. Ni l'une ni l'autre ne vous procureront donc aucun bonheur. Il est préférable que vous admettiez vos erreurs, en les considérant comme les gestes normaux d'un être imparfait et faillible, et que vous examiniez ce que vous pouvez faire pour les corriger à l'avenir. Des dictons comme « Tel père, tel fils » ou « Qui vole un œuf vole un bœuf » n'expriment qu'une partie de la réalité et insistent de façon abusive sur la fatalité de la répétition de nos actes déficients ou de l'influence de nos antécédents.

Comme pour toutes les idées déraisonnables que nous avons décrites jusqu'ici, celle-ci doit aussi être contredite par la pensée et par l'action. Si vous vous apercevez que vous éloignez de vous des amis potentiels par votre possessivité, laquelle peut avoir pris naissance dans l'idée irréaliste que vous êtes un être faible, fragile, qui a besoin d'être aimé par tous ceux qu'il rencontre, vous pouvez confronter l'idée que vous êtes « fait comme ça », et vous redire des choses comme : « Je me suis presque toujours comporté de cette façon jusqu'à ce jour et cela ne m'a guère apporté que des inconvénients. Rien ne me force à continuer le même manège, quoique je m'y sente bien porté. J'ai appris à agir ainsi quand j'étais enfant et que j'avais très peur que mes parents ne m'abandonnent. Mais je ne suis plus un enfant. Je peux me tenir debout tout seul, sans être obligé de rechercher continuellement un support. Assez de cette bêtise ! Voyons si je ne peux pas apprendre graduellement à avoir plus confiance en moi-même et à parvenir ainsi à nouer des amitiés plus agréables et plus stables. » Autant donc vous vous êtes répété des idées irrationnelles, autant vous avez avantage à vous redire la vérité inlassablement.

À cette démarche mentale, vous ajouterez des actes concrets dans votre vie. Si vous avez toujours eu peur de vous opposer à votre père, il vous sera utile de prendre position calmement devant lui. Vous ne dites jamais un mot quand on vous sert un repas mal apprêté au restaurant ? La prochaine fois, demandez calmement qu'on change votre assiette. Vous n'avez jamais posé une question en classe ? Saisissez donc la première occasion de le faire : c'est par des actes répétés que vous parviendrez à vous changer vous-même, à prendre en main votre destinée.

Quand vous venez au monde, on vous remet le livre de votre vie. Le nombre de pages en est déjà déterminé, mais ces pages sont blanches et il vous revient de les écrire. Vous n'avez pas à suivre un plan défini par un autre ni à découvrir à chaque page ce qu'il y aurait déjà écrit. Quand vous étiez un enfant, vos parents et la société ont écrit à votre place les premiers chapitres et il se peut bien que vous ne les aimiez pas beaucoup. Mais rien ne vous force à continuer d'écrire votre vie comme ils ont commencé à le faire. Tournez donc la page et, *aujourd'hui*, prenez la plume en main, puis commencez à écrire vous-même votre propre histoire. Après tout, vous ne vivrez qu'une seule fois.

CHAPITRE XIII

« CELA DEVRAIT ÊTRE AUTREMENT... »

Combien de fois au cours des vingt-quatre dernières heures ne vous êtes-vous pas dit que les choses devraient être autrement, que votre femme devrait être plus gentille, que votre chien ne devrait pas pisser sur le tapis, qu'il ne devrait pas pleuvoir quand vous voulez sortir, ou que votre patron devrait vous accorder une augmentation ? Si vous l'avez fait même une seule fois, c'est qu'à ce moment votre esprit était habité par l'idée irrationnelle numéro 9 : *Les choses et les gens devraient être autres qu'ils sont et c'est une chose terrible que de ne pas trouver de solution parfaite et immédiate aux dures réalités de la vie.*

« Mais, me direz-vous, cette pensée n'est pas du tout idiote. Le monde est relativement mal fait et pourrait être considérablement amélioré. Nous serions tous bien plus heureux si la guerre, les tremblements de terre, les épidémies, l'inflation et les inondations n'existaient pas. »

Je vous répondrai que vous avez parfaitement raison, que tout ce que vous dites est juste et qu'il serait plus agréable de vivre dans le monde que vous décrivez. Or, le monde est comme il est, et nous n'y pouvons presque rien. Nous pouvons au moins ne pas nous forcer à être plus malheureux que nécessaire, en évitant de croire que, parce que nous le souhaitons, les choses *devraient* être différentes. Il n'y a pas de raison objective que les choses et les gens soient autres qu'ils ne sont. Se dire à soi-même : « Je n'aime pas que ma femme porte une perruque. Parce que je n'aime pas ça, elle ne devrait pas en porter » est distinctement ridicule. Pour qui vous prenez-vous donc ? Pour la norme de l'Univers, l'ordinateur suprême, le critère de la planète ?

Monsieur Laberge était un exemple frappant de cette mentalité. Il passait des heures entières à décrire avec amertume les comportements déficients de son épouse. À l'entendre, elle élevait mal les enfants, avait des prétentions intellectuelles ridicules, entretenait des amitiés douteuses. M. Laberge répétait sans cesse que tout cela n'avait pas de sens, que sa femme ne devrait pas ci et ne devrait pas ça.

« Je lui ai dit des dizaines de fois qu'elle ne devrait pas fréquenter les Beaulieu. Jean Beaulieu tourne autour d'elle comme une abeille autour d'un pot de miel. Déjà, plusieurs de mes amis m'ont fait des allusions à ce sujet.

— Vous préféreriez que votre femme cesse de rencontrer les Beaulieu, mais pouvez-vous l'exiger, et prétendre qu'elle devrait cesser de le faire ? Qu'est-ce qui peut bien empêcher votre femme de continuer à faire ce qu'elle veut ?

— Rien, justement, et c'est bien ce qui m'enrage.

— Je pense que vous vous trompez. Ce qui vous enrage, ce n'est pas que votre femme passe outre à vos désirs, mais bien le fait que vous ne cessez de vous dire qu'elle ne devrait pas le faire. Eh bien ! je vous le demande, pouvez-vous démontrer que, parce que vous préférez une chose, votre femme devrait s'y conformer ?

— Mais, je suis son mari, il me semble.

— Sans aucun doute, mais cela vous rend-il possible d'avoir sur elle des exigences?

— Vous n'allez pas me dire que je n'ai pas le droit d'exiger que ma femme me soit fidèle, comme je le suis?

— Vous en avez parfaitement le *droit*, mais en avez-vous le *moyen*? Comment pouvez-vous exercer votre droit? Comment pouvez-vous forcer votre femme à vous être fidèle?

— Mais alors, si je ne peux pas la contrôler, il ne me reste rien à faire!

— Au contraire. Je suis d'accord que vous ne pouvez pas contrôler votre femme. Il est bien rare, dans des circonstances normales, qu'un adulte puisse contrôler les actes d'un autre, et, en tout cas, il ne peut jamais contrôler ses pensées. Mais il y a quelque chose que vous pouvez contrôler: vous-même et les pensées que vous avez et qui vous procurent tellement de tracas.

— Mais c'est elle qui a besoin d'être contrôlée, pas moi!

— Peut-être aurait-elle avantage à se contrôler davantage, mais cela, elle seule peut le faire. Quant à vous, vous n'avez sans doute pas un *besoin* vital de vous contrôler, mais, à mon avis, il vous serait très profitable de le faire. Votre attitude actuelle ne fait qu'amplifier vos ennuis.

— Je ne comprends pas.

— Eh bien! en passant votre temps à pester contre la conduite de votre femme, en vous répétant sans cesse qu'elle ne *devrait* pas faire ceci mais plutôt faire cela, vous vous mettez dans un état d'agitation et de trouble qui, premièrement, est désagréable pour vous et qui, deuxièmement, vous porte à adresser de nombreux reproches à votre femme. J'aimerais bien savoir l'effet que ces reproches produisent sur elle.

— Elle est toujours de mauvaise humeur. L'autre soir, j'en avais assez ; j'ai fait une colère épouvantable. Elle est partie tout de suite chez les Beaulieu.

— Mais ainsi, vous obtenez le résultat contraire à celui que vous souhaitiez ! Vous vous mettez en colère parce que vous vous répétez qu'elle ne devrait pas fréquenter les Beaulieu, elle se met en colère à son tour et s'en va. Est-ce cela que vous voulez ?

— Mais alors, que puis-je faire ? Je ne vais tout de même pas assister passivement à l'écroulement de notre mariage !

— Il y a beaucoup de choses que vous pouvez faire pour tenter de prévenir cet événement qui vous semble malheureux. Ainsi, vous pourriez commencer par vous calmer, ce qui vous permettrait de trouver des moyens plus efficaces que les reproches et les colères pour communiquer avec votre épouse.

— Mais comment rester calme quand elle fait tout pour m'irriter ?

— Vous pouvez graduellement expulser de votre esprit des idées comme : "Elle ne *doit* pas fréquenter les Beaulieu, elle *devrait* être autrement qu'elle n'est." Non seulement ces idées sont-elles fausses et irréalistes, mais elles vous causent des troubles émotifs désagréables et nuisibles.

— Alors, je vais me dire qu'elle peut me tromper, qu'elle a bien le droit de me rendre cocu, que c'est bien qu'elle fasse de moi la risée de la place ! Tout de même !

— Il est vrai qu'elle a le pouvoir et le droit de vous tromper. Vous n'y pouvez pas grand-chose, au fond. À votre point de vue, tout cela est mauvais, mais elle n'est pas forcée de partager votre vision des choses.

— Mais alors, vous êtes en faveur de l'union libre !

— Mes opinions sur le mariage n'ont rien à voir avec vos tracas. Ce qu'il s'agit d'examiner, ce ne sont pas mes idées, mais bien les *vôtres*. »

Cette discussion continua encore pendant de nombreuses heures. Mon consultant finit par en arriver à voir comment son attitude envers son épouse compliquait un problème déjà délicat. Il se rendit compte que cette attitude trouvait sa source dans ses pensées déraisonnables et il se mit à les évacuer une à la fois. Elles devinrent peu à peu plus réalistes; en conséquence, son comportement envers sa femme se modifia lui aussi. Il cessa de lui adresser des reproches, de se livrer à des explosions émotives. Sa femme et lui parvinrent ainsi à communiquer plus adéquatement et à élucider bon nombre de leurs problèmes communs.

Monsieur Laberge n'a jamais trouvé de solution parfaite à tous ses problèmes, mais il a depuis longtemps cessé de la chercher. Il réalise que cette recherche ne peut aboutir qu'à l'échec dans un monde peuplé d'êtres imparfaits, en changement continuel.

Quand des aspects du réel vous frustreront, il vous sera donc profitable de vous arrêter à penser avec clarté et rigueur aux points suivants:

I. Vaut-il vraiment la peine que vous vous excitiez et vous troubliez quand les choses et les gens ne sont pas comme vous le souhaiteriez? Ce qui vous arrive est-il vraiment de nature à vous nuire de façon considérable? Est-il de quelque utilité que vous fassiez monter votre pression artérielle parce que votre fils a cassé une vitre ou vous a parlé de façon impolie? Faut-il que vous vous priviez de sommeil parce que votre ami vous a laissé tomber? Est-il indispensable que vous vous donniez un mal de ventre parce que votre mari a oublié de souligner votre anniversaire? Vous êtes frustré: est-il nécessaire que vous augmentiez votre dépit en vous répétant combien votre frustration est terrible et insupportable? Ne serait-il pas préférable, une fois que vous avez fait ce que vous pouviez normalement faire pour changer les événements désagréables de votre vie, de vous répéter avec Flaubert : « Après tout, merde ! » ?

2. Si vous jugez utile de consacrer de l'énergie à changer les autres, pour leur propre avantage ou pour le vôtre, vous aurez plus de succès si vous vous y prenez avec calme, en vous efforçant de comprendre les choses de leur point de vue, en *respectant* leur autonomie et leur droit à mener leur vie à leur manière, en vous gardant de les juger de façon moralisante et perfectionniste. À la suite de beaucoup d'autres auteurs, j'ai longuement développé les caractéristiques des actions et des attitudes de la personne aidante dans un volume précédent (Auger, 1972).

   Souvenez-vous que la plupart du temps vous ne pouvez pas changer quelqu'un directement, mais tout au plus lui offrir l'atmosphère à la faveur de laquelle il en arrive à se changer lui-même.

3. Il vous faudra forcément accepter souvent des solutions *raisonnables* plutôt que des solutions parfaites aux problèmes de la vie. Pendant que vous vous cassez la tête à chercher la solution parfaite ou que vous déplorez de ne pas l'avoir trouvée, vous n'appliquerez pas votre esprit à inventer les diverses solutions *possibles* à votre situation et à les évaluer objectivement en fonction de leurs avantages et de leurs désavantages. Souvent, il vous faudra choisir une solution qui, expérience faite, ne se révélera pas la meilleure de toutes. Vous pourrez alors en choisir une autre, plus adéquate. Il est bon de vous rappeler qu'on n'échappe pas à la nécessité de choisir, et que le fait de ne prendre aucune décision constitue en soi une décision. De plus, un choix adéquat à un

moment de votre vie pourra bien ne plus l'être à un autre. Tout change, autour de vous et en vous, et il ne serait pas réaliste de vous entêter dans une option qui est peut-être maintenant dépassée. La vie n'a rien de statique et, tout en ayant un respect approprié pour la tradition et les décisions que vous avez prises dans le passé, il sera souvent plus réaliste pour vous de faire de nouveaux choix à mesure que le contexte où vous vivez se modifiera. Autant il peut être inefficace de changer continuellement ses décisions sous l'impulsion de l'émotivité, autant il peut être absurde de refuser de voir que des circonstances nouvelles appellent des réponses nouvelles. Le dogmatisme, le traditionalisme reposent sur la notion que des solutions parfaites existent et qu'on les a déjà trouvées. Là comme ailleurs, la rigidité et l'immobilisme sont du côté de la mort.

CHAPITRE XIV

« C'EST TROP FATIGANT... »

Un humoriste a déjà affirmé qu'il est si fatigant de vivre qu'on finit par en mourir. Il est certain que la vie apporte à chacun son lot de difficultés souvent épuisantes et que la plupart d'entre nous sont tentés, au moins à l'occasion, d'entretenir dans leur esprit l'idée déraisonnable numéro 10 : *On peut atteindre le plus grand bonheur humain par l'inaction, en se « laissant vivre » passivement.* À bien y penser, cette notion ne correspond pas du tout à la réalité.

Tout d'abord, comme êtres humains, il semble bien que notre organisme soit structuré de telle sorte que son développement exige une activité presque constante. Qui n'a contemplé un enfant mouvoir ses bras et ses jambes, se traîner inlassablement à quatre pattes et, plus tard, courir, sauter, danser, crier, apparemment pour le seul plaisir d'exercer son organisme ! Hans Selye souligne très bien la nécessité biologique de l'activité et l'importance pour chaque homme de maintenir dans sa vie un niveau optimal de stress.

La somme de stress requise pour le bonheur varie grandement selon les individus. Ceux qui se suffisent d'une vie purement passive ou végétative sont vraiment l'exception. Même les plus dépourvus d'ambition se satisfont rarement d'une existence qui ne leur procure que l'essentiel : nourriture, toit et vêtements.

La grande majorité des humains a besoin de plus que cela. Rares sont les individus qui défendent corps et âme un idéal et qui sont prêts à consacrer toute leur vie pour atteindre à une certaine perfection, grâce à des réalisations nécessitant à la fois la persévérance et des possibilités mentales extraordinaires. La majorité de l'humanité se situe entre ces deux extrêmes. (Selye, 1974, p. 79)

Il s'ensuit donc que l'exercice prolongé d'activités relativement passives — spectacles, télévision, lecture de journaux ou revues à contenu superficiel — provoque rapidement l'ennui et le dégoût, parce que ces activités ne stimulent pas assez notre organisme.

Au contraire, les activités qui exigent un investissement physique ou mental amènent, le plus souvent, un sentiment agréable de plénitude et d'accomplissement. De nombreuses études en psychologie industrielle arrivent à la même conclusion : le rendement d'un employé est meilleur et sa motivation plus élevée quand on lui confie un travail où il peut exercer une certaine mesure d'initiative et d'ingéniosité, et surtout quand on le laisse compléter une partie significative et unifiée de ce travail, plutôt que de le confiner à la répétition mécanique de gestes minutieusement découpés (Kahn, 1973).

Le degré de satisfaction qu'on retire de l'action semble d'ailleurs relié au degré d'intelligence et de sensibilité de chaque personne. Plus un humain est intelligent et perceptif, plus il semble avoir besoin de s'intéresser à des activités complexes, prolongées et absorbantes, physiques ou mentales.

« La vie est dans le mouvement » proclamaient déjà les anciens philosophes, et cela n'est pas vrai seulement du mouvement physique. L'être inerte et passif ne vit pas vraiment ; il subit une demi-vie faite d'ennui et de lassitude, se privant du plaisir que lui apporterait l'action dont sa passivité l'écarte.

À la suite de nombreux autres spécialistes étudiant la personne humaine, Saint-Arnaud souligne l'importance dans la vie des hommes de la satisfaction des besoins d'aimer, de créer et de comprendre (Saint-Arnaud, 1974). Cette satisfaction ne peut être atteinte sans un investissement considérable d'énergie. Pour aimer les autres, il me faut sortir de mon isolement, tendre mon esprit et mon corps dans le contact interpersonnel. Pour créer, je dois me contraindre à surmonter ma passivité, tendre mon esprit et mon corps dans le contact avec le monde matériel. Pour comprendre, je dois secouer la léthargie de mon esprit, stimuler son activité dans le contact avec les idées. Vivre pleinement, n'est-ce pas fondamentalement aimer, créer et comprendre, et, en conséquence, peut-on dire qu'un être vit vraiment quand il se replie sur lui-même, s'enfonce dans la passivité, voire dans l'inertie physique et mentale ? Si la paresse est la mère de tous les vices, comme l'affirme le dicton, elle est surtout la mère de l'ennui et du dégoût.

Certaines personnes se plaignent parfois de ne sentir d'intérêt à rien, de trouver tout fade. Mis à part ces cas où de tels sentiments sont dus à un fonctionnement inadéquat de l'organisme physique, ces personnes sont presque toujours paralysées dans leur action par une peur quelconque, la plupart du temps par la crainte de l'échec. Comme elles croient qu'elles ne pourraient pas supporter un échec, ces personnes s'éloignent de toute action dont le résultat n'est pas parfaitement assuré. Comme cette assurance est presque toujours impossible à obtenir, il s'ensuit qu'elles végètent dans une inaction marquée.

C'était bien ce que vivait Josette. Après être arrivée graduellement à se persuader qu'elle était stupide, incapable d'intéresser qui que ce soit, elle avait atteint un degré de passivité remarquable. S'absentant le plus souvent possible de son travail, sous prétexte de maladies imaginaires, elle pouvait rester des heures et des heures à regarder la télévision, à dormir et à végéter dans son appartement. Ses relations sociales se limitaient à sa famille immédiate et à une ou deux amies. Elle en était venue à éviter même de sortir pour ses emplettes, préférant téléphoner aux fournisseurs pour se faire apporter à domicile ce dont elle avait besoin pour vivre. Il n'était pas surprenant que Josette trouvât la vie ennuyante, triste et interminable. Comme il se produit toujours, son inactivité amenait une diminution de sa confiance en elle-même. Elle se jugeait de moins en moins capable de réussir quoi que ce soit. Moins j'agis, moins je me sens capable d'agir, et, par conséquent, moins j'agis encore, véritable cercle vicieux tendant à se perpétuer lui-même.

Je dus employer les méthodes les plus énergiques et les plus vigoureuses pour aider Josette à échapper à ce carrousel destructeur. Elle ne manquait pas de bonne volonté, heureusement, et, malgré sa passivité, il subsistait encore en elle un goût de vivre enfoui sous d'épaisses couches de désespérance.

Cette étincelle positive persiste d'ailleurs chez la très grande majorité des êtres humains qu'il m'a été donné de connaître, bien qu'elle ne soit pas toujours immédiatement perceptible. Le goût de la vie semble très fortement enraciné en nous. Il en est de ce désir comme de ces graines de semence qu'on a découvertes enfouies sous d'énormes glaciers et qui, après des siècles d'hibernation, se mirent à germer et à se développer dans une atmosphère favorable.

Les peurs qui nous paralysent ne peuvent habituellement pas être vaincues par la seule pensée. Il faut y ajouter l'action directe, sans attendre que ces peurs aient disparu. Malheureusement, beaucoup de gens se trompent eux-mêmes en attendant ainsi d'avoir vaincu leurs peurs pour agir. Il est en général plus utile de s'aventurer dans l'action *tout en ayant peur*, puisque l'action elle-même et son résultat ont pour effet de diminuer ou de faire disparaître nos peurs irrationnelles. On peut essayer de se convaincre qu'il n'y a pas de danger à prendre la parole à une réunion, mais il est encore plus efficace d'intervenir en fait dans la discussion, même si l'on n'est pas encore complètement rassuré. La constatation qu'il ne se produit alors rien de terrible constitue un puissant renforcement pour la répétition de cette action et l'extinction de la peur.

En somme, un style de vie actif et engagé semble beaucoup plus susceptible d'apporter le bonheur qu'une existence passive. Entre autres activités, celle qui consiste à consacrer ses énergies à aimer les autres en est une qui promet les plus enviables récompenses. Elle nous empêche de concentrer trop exclusivement notre attention sur nos tracas personnels et nous apporte souvent la satisfaction de recevoir en échange l'amour de ceux que nous aimons. Bien sûr, en aimant, nous courons toujours le risque de ne récolter qu'indifférence ou rejet, mais il en est ainsi pour tous les actes humains. Si j'achète un billet de loterie, mes chances de perdre ma mise sont beaucoup plus grandes que celles de gagner. Pourtant, jamais je ne gagnerai à moins de prendre un billet.

Il est aussi souvent très gratifiant de s'engager dans une occupation, une profession, un emploi auquel on croit vraiment et auquel on consacre une part importante de son temps et de ses efforts. Il ne s'agit pas pour autant de se consacrer à de telles occupations dans le but de dépasser les autres, de démontrer une illusoire supériorité personnelle. L'action deviendrait alors un esclavage qui laisserait peu de place à un véritable plaisir. Il s'agit plutôt de se consacrer à une action qu'on aime vraiment pour elle-même et qui exige une dépense physique ou mentale. Plus l'occupation est complexe et difficile, plus il est probable qu'elle retienne notre attention et nous apporte du plaisir. Combien de personnes ne trouvent-elles pas ainsi beaucoup de joie à cultiver un potager, à aménager un chalet d'été, à perfectionner leur maîtrise aux échecs, à créer des poteries originales, à cuisiner des plats compliqués, à trouver des moyens d'approfondir leur relation conjugale, à écrire des poèmes, et mille autres choses constructives et utiles qui leur font connaître des plaisirs qu'elles n'auraient jamais goûtés si elles étaient restées passivement assises devant leur télévision ou si elles avaient tué le temps à faire des mots croisés. Le temps qu'on tue nous le rend bien ; celui qu'on utilise de façon créatrice nous fait vivre.

Si vous avez tendance à être passif, il se peut bien que vous ne découvriez pas tout de suite un intérêt absorbant dans une activité quelconque. Il vous faudra consentir à prendre le temps d'en maîtriser les rudiments, ce qui pourra vous demander des années s'il s'agit d'une opération aussi complexe que la chirurgie ou la relation approfondie avec un autre être humain. Tâchez de ne pas vous décourager trop vite, mais faites un effort honnête et prolongé. Si vraiment ça ne va pas, vous pourrez toujours diriger vos énergies vers une autre direction.

En vous forçant ainsi par la pensée et par l'action à combattre vos tendances à l'inertie, vous augmenterez vos possibilités de jouir d'une vie qui ne sera pas pour autant exempte de problèmes et de souffrances, mais dont vous savourerez au moins plus intensément les moments agréables.

CONCLUSION

Voici que tire à sa fin notre périple à travers le marécage des pensées déraisonnables. Nous avons visité successivement les besoins absolus d'être aimé, les exigences du perfectionnisme, les erreurs de la condamnation de soi et des autres, les exagérations de notre tendance à « catastrophiser », les illusions qui nous font attribuer nos malheurs aux autres et au monde, les paralysies auxquelles nous soumettent nos peurs déraisonnables, les périls de l'hédonisme à courte portée, les fausses chaînes de notre passé, les récriminations et les plaintes devant une réalité souvent dure, et enfin les fondrières de la passivité et de l'inaction.

Que vous restera-t-il de toutes ces descriptions et de toutes ces réflexions ? Ce livre ira-t-il, comme tant d'autres que vous avez lus, rejoindre sur vos tablettes (et peut-être dans votre corbeille) ses nombreux prédécesseurs ? Aurez-vous peut-être connu un bref instant d'enthousiasme et de lucidité pour sombrer bientôt de nouveau dans le marasme ? Peut-être aurez-vous entrevu fugitivement la vision d'une vie nouvelle, délivrée des angoisses et des fureurs de votre existence actuelle ?

Je souhaiterais beaucoup que vous terminiez cette lecture en étant enfin profondément convaincu que vous, tout simplement parce que vous êtes un être humain, possédez un esprit qui vous permet de vous délivrer d'une grande part de vos troubles personnels.

Si vous utilisez votre capacité de *penser* correctement, si vous vous acharnez à chasser de votre esprit les idées qui sont la cause première de vos tracas, et si vous vous engagez avec courage dans l'*action*, vous avez de bonnes chances d'améliorer de façon considérable votre vie personnelle. Pour vous aider à prolonger dans le courant de votre vie les effets de la lecture de ce livre, j'ai ajouté en appendice quelques exercices simples qui pourraient vous permettre de vous entraîner à ce travail inlassable de confrontation. Ne croyez pas cependant que ces seuls exercices soient suffisants pour arriver à purger votre esprit de tout son bagage d'idées délétères. Ils ne sont destinés qu'à vous ouvrir une voie sur laquelle vous cheminerez ensuite par vous-même. Si, après des efforts loyaux et rigoureux, vous vous sentez encore habité par une anxiété ou une hostilité intenses et prolongées, n'hésitez pas à recourir à une aide thérapeutique. Ayez soin toutefois de choisir votre thérapeute avec au moins autant de circonspection que votre boucher. Un thérapeute compétent peut vous aider beaucoup, mais un incompétent peut vous faire perdre pas mal de temps et d'argent, sans parler des dommages qu'il peut vous causer sur le plan psychologique.

Il me reste à vous souhaiter non pas bonne chance, puisque nous ne contrôlons pas la chance, mais bien d'utiliser à votre avantage l'instrument merveilleux que constitue votre esprit.

EXERCICE N⁰ 1

Directives: pour vous aider à dépister les principales idées déraisonnables que vous entretenez, exercez-vous à les reconnaître dans les
textes suivants. Chacune des phrases ci-après renferme une ou plusieurs idées irréalistes. En regard de chacune d'entre elles, inscrivez le
numéro de l'idée déraisonnable sous-jacente. Pour votre commodité,
nous répétons ici la liste des dix principales idées. Reportez-vous
ensuite aux pages 174 et 175 pour comparer vos réponses avec le
corrigé.

Les dix idées déraisonnables

1. Il est terriblement nécessaire pour un adulte d'être aimé et
   approuvé par presque toutes les personnes importantes de son
   entourage.
2. Un être humain doit être profondément compétent, adéquat et
   capable d'atteindre ses objectifs, sous tous les aspects possibles,
   pour pouvoir se considérer comme valable.
3. Certaines personnes sont mauvaises, méchantes, vicieuses, et elles
   doivent être sévèrement blâmées et punies pour leur méchanceté.

4. Cela est affreux et catastrophique quand ça ne va pas comme on le souhaiterait.

5. Le bonheur humain trouve sa source à l'extérieur de l'homme et nous n'avons que peu ou pas de contrôle sur nos chagrins et nos troubles émotifs.

6. Si quelque chose est ou peut devenir dangereux ou effrayant, on doit s'en préoccuper terriblement et se tracasser sans arrêt avec cette éventualité.

7. Il est plus facile de fuir les difficultés de la vie et de tenter d'échapper à ses responsabilités que d'y faire face.

8. La vie passée de l'homme est le déterminant suprême de son action présente et, parce qu'un élément a déjà dans le passé affecté profondément sa vie, il est inévitable que cette influence dure toujours.

9. Il existe toujours une solution bonne, précise et parfaite aux problèmes humains, et c'est une catastrophe de ne pas trouver cette solution.

10. Le plus grand bonheur humain peut être atteint par l'inaction.

	Idées déraisonnables
1. « C'est épouvantable ; je n'arrive pas à savoir quoi faire avec ma plus jeune fille. »	_____ _____ _____
2. « Quand j'étais petit, j'ai toujours eu peur de mon père. Aujourd'hui, c'est bien pour ça que j'ai peur de tout. »	_____ _____ _____
3. « Je n'arrive pas à dormir tant j'ai peur de couler mon examen. »	_____ _____
4. « Que voulez-vous que je fasse ? J'attends que ça passe... »	_____

5. « Mon cousin est un vrai monstre : il boit comme une éponge et bat sa femme tous les jours. »

_____

_____

_____

6. « Qu'est-ce que ça donne d'apprendre le piano, si on ne joue jamais bien ? »

_____

_____

7. « J'ai perdu ma femme l'année dernière… Depuis, ma vie est un long crépuscule. »

_____

_____

_____

8. « Les enfants doivent aimer leurs parents, après tout. »

_____

_____

9. « Quand ma belle-mère vient à la maison, je m'arrange pour m'absenter. »

_____

_____

10. « Si j'avais eu des parents qui avaient du bon sens, je ne serais pas ce que je suis. »

_____

_____

_____

11. « Je réalise que j'ai toujours cherché à exploiter les autres. Quel misérable je suis ! »

_____

_____

_____

12. « Comment pourrais-je être heureuse sans toi ? »

_____

_____

13. « Le patron va probablement me mettre à la porte. Juste à cette idée, j'en ai l'estomac à l'envers. »

_____

_____

_____

14. « Jean-Paul ne m'a jamais aimée… et il n'avait pas le droit de me le cacher. »

_____

_____

_____

15. « J'en avais plein mes bottes, l'autre soir. J'ai pris une bonne cuite, ça m'a fait du bien. »

_____

_____

_____

16. « Ne vois-tu pas que les rideaux sont trop longs ! Tout est gâché maintenant. »   _____
   _____
   _____
17. « Mon erreur nous a coûté vingt mille dollars. Comment ai-je pu être aussi stupide ? »   _____
   _____
   _____
18. « Mes parents ne nous donnaient jamais de signes d'affection. C'est pour ça que je suis condamnée à la frigidité ! »   _____
   _____
   _____
   _____
19. « Je ne suis tout de même pas pour me forcer à faire ça ! »   _____
   _____
20. « Il faut que je règle ce cas au plus vite, sinon tout s'écroulera. »   _____
   _____

Corrigé de l'exercice n° 1

Phrases	Idées déraisonnables
1	9
2	8
3	6
4	10
5	3
6	2
7	4
8	1
9	7
10	5

11	3
12	5
13	6
14	1
15	7
16	4
17	2
18	8
19	10
20	9

Exemples de confrontations

Afin de vous permettre de comprendre encore plus précisément en quoi consiste la confrontation et de vous faciliter son emploi dans votre propre vie, je présente ici quelques exemples de confrontations tirées de l'expérience de plusieurs de mes consultants et consultantes. On remarquera qu'elles sont toutes rédigées selon le même plan, comportant cinq étapes :

a) Événement ou occasion ;
b) Idées déraisonnables ;
c) Conséquences des idées déraisonnables ;
d) Confrontation ;
e) Résultats de la confrontation.

a) Événement: Ce soir, mon mari est arrivé en retard au souper sans avertir.

b) Idées déraisonnables: «Il abuse de ma patience. Il aurait dû avertir. Ça nous dérange terriblement.»

c) Conséquences de b): Agressivité, tension.

d) Confrontation: «J'aurais préféré qu'il avertisse, mais c'était son droit de ne pas le faire. S'il a oublié, c'est simplement humain. Cela ne nous dérange, en fait, que très peu.»

e) Résultats de d): Plus de calme; je l'ai même taquiné gentiment et nous avons ri tous les deux.

–2–

a) Événement: Je suis allé m'acheter des chaussures et le vendeur a été impoli.

b) Idées déraisonnables: «Il me prend pour une poire. Les vendeurs devraient au moins être courtois.»

c) Conséquences de b): Colère, nervosité, boule à l'estomac.

d) Confrontation: «S'il me prend pour une poire, c'est son problème, pas le mien. J'aimerais mieux qu'il soit plus gentil, mais ce que je veux d'abord, ce sont des chaussures. Ce qui est important surtout, c'est que je sois bien dans ces chaussures. Rien ne prouve que *tous* les vendeurs doivent être aimables *tout* le temps.»

e) Résultats de d): J'ai retrouvé mon calme presque tout de suite.

–3–

a) Événement: Ma fille nous a annoncé qu'elle voulait quitter la maison et vivre en appartement.

b) Idées déraisonnables : « Elle est bien trop jeune. C'est ainsi qu'elle nous remercie de nos soins et de notre affection. Elle n'a pas le droit de nous faire ça. »

c) Conséquences de *b)* : Très grande anxiété, pleurs, début de dispute amère.

d) Confrontation : (Je suis allée me promener pendant dix minutes pour reprendre mes esprits.) « Qu'est-ce qui prouve qu'elle est *trop* jeune ? C'est moi seulement qui l'affirme et cela n'est pas nécessairement vrai. Son geste n'implique pas nécessairement qu'elle nous rejette et même s'il en était ainsi, rien ne prouverait qu'elle *doit* nous aimer à la folie. Elle a parfaitement le droit de disposer de sa vie et de sa personne comme elle l'entend. »

e) Résultats de *d)* : Calme profond, qui a permis une discussion plus sereine et plus objective des avantages et des désavantages de sa décision.

—4—

a) Événement : Ma femme m'a appris qu'elle était enceinte. Or, notre plus jeune enfant a déjà douze ans.

b) Idées déraisonnables : « Quelle catastrophe ! Ça devait m'arriver à moi… juste comme nous commencions à respirer. Elle n'aurait pas pu faire attention ! »

c) Conséquences de *b)* : Insomnie, anxiété et colère contre ma femme et contre moi-même.

d) Confrontation : « Cela n'est certainement pas agréable, mais ce n'est pas du tout une catastrophe. Il va bien falloir que nous organisions notre vie autrement que nous ne l'avions pensé. Si ma femme s'est trompée, cela montre encore une fois qu'elle est bien humaine. Maintenant, qu'y a-t-il de plus intelligent à faire pour tirer le meilleur parti possible de la situation?»

e) Résultats de *d*): Après plusieurs heures, plus de calme. Je reste encore un peu agité et troublé, mais bien moins qu'avant de confronter mes idées.

–5–

a) Événement: Ma femme et moi nous sommes disputés, ce qui est fort rare, et elle a pleuré toute la nuit.

b) Idées déraisonnables: «Quelle brute je suis! Si j'avais le moindrement de cœur, jamais je ne hausserais le ton en lui parlant. Je ne mérite pas qu'elle demeure avec moi. Je suis un misérable.»

c) Conséquences de *b*): Douleur, dépression, incapacité de digérer, insomnie.

d) Confrontation: «Quoi que je fasse, je ne serai jamais rien d'autre qu'un être humain imparfait. J'aime ma femme, mais *jamais* je ne l'aimerai *parfaitement*. Cependant, il serait important que je fasse attention à purger mon esprit des pensées qui m'ont amené à me mettre en colère contre elle. Je suis capable de m'améliorer en y travaillant ferme.»

e) Résultats de *d*): Sommeil après quelques heures. Le lendemain, j'ai réussi à m'expliquer franchement avec elle.

–6–

a) Événement: Je suis arrivé à l'âge de la retraite.

b) Idée déraisonnable: «Quelle catastrophe!»

c) Conséquences de *b*): Anxiété intense, accompagnée de palpitations.

d) Confrontation: «C'est bien dommage… la vie est dure. Tout finit par finir… C'est la vie.»

e) Résultats de *d)* : Plus de sérénité, quoique je regretterai mon emploi. Il me reste à devenir philosophe!

EXERCICE N⁰ 2

Directives : le but de l'exercice est de perfectionner votre utilisation de la confrontation dans votre propre vie. Vous trouverez sur ci-après une série de phrases intérieures. Confrontez-les mentalement ou, de préférence, en écrivant des phrases plus réalistes sur une feuille. Comparez ensuite vos confrontations avec celles suggérées aux pages 181 à 183 en ne vous alarmant pas des différences. Il y a plus d'une manière de tuer un chat!

1. «Ma femme a encore laissé brûler les toasts. Je lui ai dit mille fois de faire attention. Elle est vraiment impossible!»

2. «Mon père ne m'a jamais aimée. Quand j'étais petite, il passait son temps à se soûler. C'est à cause de lui que ma vie n'a pas de sens.»

3. «Mon ami Jean-Pierre est un beau salaud. Il m'a rendue enceinte, et maintenant il a disparu. Tous les hommes sont des cochons.»

4. «Ça ne me donne rien de me forcer, c'est toujours la même chose. Je n'arriverai jamais à accepter de toujours perdre aux échecs.»

5. «Qu'est-ce que ça donne de vivre? Ma vie n'est qu'une suite ininterrompue de malheurs, et je n'ai même pas le courage de me suicider.»

6. « Quel imbécile que mon patron ! Il ne voit même pas que ses employés le volent sous son nez. C'est vraiment humiliant de travailler pour un type comme ça. »

7. « Je tremble à l'idée de me présenter à cette entrevue d'embauche. S'il fallait que je sois refusé, j'aurais bien la preuve que les autres voient quel incompétent je suis ! »

8. « Avec la face que j'ai, je ne pourrai jamais me marier. Je suis condamnée à être une vieille fille frustrée, avec ses chats et ses canaris. »

9. « Le médecin m'a dit de cesser de fumer et de boire. Je ne pourrai jamais le faire. Je vais en perdre la tête. »

10. « Voici encore l'hiver qui revient et les tracas qui recommencent. Maudit pays ! Ou aurait dû le laisser aux Indiens. »

11. « Ah ! l'écœurant ! Il m'a coupé à droite sans mettre son clignotant. Il va voir ce que je peux faire quand je suis furieux et que j'ai le pied sur l'accélérateur. » (Rugissement du moteur, suivi d'un fracas de tôle froissée.)

12. « Tous ces immigrants qui viennent prendre nos emplois ! On devrait les laisser où ils sont ! Et puis, ils ne savent même pas se conduire comme du monde normal ! »

13. « Je n'en peux plus, moi, d'être la servante de mon mari et des enfants ! C'est jamais assez bon à leur goût ! Si j'avais épousé François, ç'aurait été bien différent ! »

14. « C'est bien épouvantable ce qui arrive en Inde ! Les gens crèvent de faim et voilà qu'ils se payent des bombes atomiques. Je vous dis, on devrait arrêter de les aider complètement… Ça va faire comme pour les Chinois. »

15. « Je vais lui dire bien en face ses quatre vérités. Il n'a pas le droit de me parler sur ce ton-là. À son âge, j'avais plus de respect pour mes parents. La jeunesse d'aujourd'hui ne vaut pas grand-chose… »

Corrigé de l'exercice n° 2

Confrontations suggérées

1. « Que ma femme ait laissé brûler les toasts n'est pas un bien grand malheur. Je ne m'en souviendrai probablement pas demain. Je lui ai demandé souvent de faire attention, mais ces demandes ne constituent pas pour elle une obligation. Elle n'est pas impossible mais seulement un être humain imparfait, comme moi. »

2. « Si mon père ne m'a pas aimée, c'est bien dommage ; s'il s'est soûlé toute sa vie, c'est plus son problème que le mien. Il est faux de me dire que si ma vie n'a pas de sens, cela est dû à autre chose qu'à ma manière inadéquate de réagir et aux idées irrationnelles que je garde dans mon esprit et que je ferais mieux de déloger. »

3. « J'aurais préféré que Jean-Pierre prenne ses responsabilités, mais il est souhaitable que je prenne les miennes. Il ne m'a pas rendue enceinte malgré moi. Aucun homme n'est un cochon : un cochon est un cochon et un homme est un homme. De toute façon, il ne me sert à rien de me lamenter, mais j'aurais plutôt avantage à réfléchir sur la façon dont je puis tirer le meilleur parti possible de la situation. »

4. « Si je ne joue aux échecs que pour gagner, je vais être malheureux chaque fois que je vais perdre. Rien ne me force à jouer aux échecs, si ce n'est ma sotte mentalité compétitive. Je ferais mieux de me mettre à jouer aux échecs pour le plaisir, ou bien, si je ne peux y parvenir, de laisser les échecs de côté. »

5. « Ma vie ne me donnera que ce que j'y investirai. Je n'ai pas à m'attendre à ce que le bonheur me tombe tout cuit dans le bec. Me suicider ne serait pas nécessairement un acte de courage.

Avant d'arriver à cette solution finale, je ferais mieux d'examiner si je ne contribue pas sans m'en apercevoir à aggraver ma situation par les idées que j'entretiens.»

6. «Mon patron agit peut-être de façon sotte. Mais ça, c'est son problème. Je peux examiner si je puis faire quelque chose pour remédier à la situation; si je ne peux rien y faire, je ne vois pas pourquoi je me casserais la tête avec un problème qui ne me concerne même pas. Il n'est pas plus humiliant de travailler pour un patron sot que pour un moineau de trouver sa nourriture dans le crottin de cheval!»

7. «Je n'ai rien à perdre en me présentant à l'entrevue. Si je suis accepté, tant mieux. Si je suis refusé, cela ne prouvera rien d'autre sinon que l'on m'a préféré un autre candidat. Je n'ai peut-être pas la compétence requise pour le travail qu'on demande, mais cela ne veut pas dire que je *suis* un incompétent.»

8. «J'aimerais mieux être plus jolie; même si j'ai un grand nez et les yeux de travers, cela ne me condamne pas nécessairement à rester célibataire. Je trouverai peut-être quelqu'un qui voit au-delà de ma peau. Même si je reste célibataire, il dépendra de moi d'être ou non névrosée, selon les idées que j'entretiendrai dans mon esprit.»

9. «Il se peut bien que je trouve difficile de cesser de fumer et de boire, mais cela n'est pas impossible si je le veux vraiment. J'ai le choix: cesser de boire et de fumer ou risquer d'aggraver mon état de santé. Je ne perdrai la tête que si je continue à me répéter des inepties.»

10. «Certains aspects de l'hiver ne sont pas agréables pour moi, mais mes plaintes ne font que me plonger dans un état désagréable de dépression et de colère sans rien changer à la réalité. Je ferais mieux de faire ma provision d'antigel et de sel, et de penser à comment je puis jouir de la vie *aujourd'hui*.»

11. « Qu'il m'ait coupé sans signaler est à la fois peu courtois et dangereux, c'est vrai. Cependant, il n'est encore rien arrivé de fâcheux. Je me suis après tout énervé pour rien. Je ferais mieux de continuer calmement ma route en pratiquant moi-même la courtoisie que je souhaiterais trouver chez les autres. » (Ronronnement régulier accompagné d'un sifflotement serein.)

12. « J'ai, bien sûr, le droit d'avoir mon opinion sur les immigrants, cependant, je ferais mieux de ne pas croire que, parce qu'ils ne se conduisent pas comme moi, ils sont anormaux. Je ne suis pas forcé de me conduire comme eux, et ils ne sont pas forcés de se conduire comme moi. »

13. « Si je suis la servante de mon mari et de mes enfants, je peux être sûre que cela dépend au moins en partie de moi. Voyons ce que je peux faire pour changer cette situation. Si j'avais épousé François, cela aurait peut-être été différent, mais rien ne me sert de me plaindre, ce n'est pas ce que j'ai fait. »

14. « Il ne me sert à rien de me tracasser avec des problèmes sur lesquels je n'ai aucun contrôle. Les Indiens feront peut-être comme les Chinois, mais je n'y peux presque rien. Je ferais mieux de concentrer mon énergie sur des problèmes que je peux résoudre. »

15. « Je n'aime pas la façon dont il me parle ; voyons ce que je peux faire de mieux pour changer cette situation. Peut-être que c'est en lui parlant clairement que j'arriverai au meilleur résultat, peut-être aussi qu'il vaudrait mieux employer une autre tactique. Il a parfaitement le droit de me parler sur n'importe quel ton, même si je n'aime pas ça. À son âge, j'avais plus de respect pour mes parents, mais il est lui et je suis moi. La jeunesse d'aujourd'hui est différente de celle d'autrefois, mais cela ne veut pas nécessairement dire qu'elle est meilleure ou pire. D'autre part, je n'ai pas affaire ici à la jeunesse d'aujourd'hui en général, mais à mon fils. »

Afin de trouver des ressources et des outils pour vous aider à poursuivre votre cheminement personnel, vous pouvez contacter M. Pierre Bovo, directeur du Centre de la pensée réaliste et successeur de Lucien Auger. Vous pourrez le joindre par internet au <u>www.lucien-auger.com</u>, par téléphone au (450) 491-2039 ou encore par la poste au 1800 boulevard du Lac, Deux-Montagnes, Québec, Canada, J7R IEI.

BIBLIOGRAPHIE

AUGER, L. *Communication et épanouissement personnel : la relation d'aide*, Montréal, Les Éditions de l'Homme – Éditions du CIM, 1972.

ELLIS, A. *Reason and Emotion in Psychotherapy*, New York, Lyle Stuart, 1962.

ELLIS, A. *Growth through Reason*, Palo Alto, Calif., Science and Behavior Books, 1971.

ELLIS, A. *Executive Leadership : A Rational Approach*, New York, Citadel Press, 1972.

ELLIS, A. *Humanistic Psychotherapy : The Rational-Emotive Approach*, New York, The Julian Press, 1973.

ELLIS, A. « The no cop-out therapy », *Psychology Today*, vol. 7, n° 2, juillet 1973, p. 56-62.

ELLIS, A. « Ma technique thérapeutique rend l'individu responsable de ses comportements et de ses sentiments », *Psychologie*, octobre 1974, p. 46-55.

ELLIS, A., et R. A. HARPER. *A Guide to Rational Living*, Englewood Cliffs, N.J., Prentice-Hall, 1961.

ÉPICTÈTE. *Manuel*, Paris, Garnier-Flammarion, 1964.

FROMM, E. *L'art d'aimer*, Paris, Epi, 1968.

GLASSER, W. *La « reality therapy »*, Paris, Epi, 1971.

HAUCK, P. A. *Overcoming Depression*, Philadelphie, The Westminster Press, 1973.

KAHN, R. L. «The work module – a tonic for lunchpail lassitude», *Psychology Today*, vol. 6, n° 9, février 1973, p. 35-39, 94-95.

Marc Aurèle. *Pensées pour moi-même*, Paris, Garnier-Flammarion, 1964.

MASLOW, A. H. *Toward a Psychology of Being*, New York, Van Nostrand, 1968.

McCARY, J. L. *Human Sexuality*, New York, Van Nostrand, 1967.

O'NEILL, N., et G. O'NEILL. *Open Marriage*, New York, Avon Books, 1972.

PEELE, S., et A. BRODSKY. «Interpersonal heroin: Love can be an addiction» *Psychology Today*, vol. 8, n° 3, août 1974.

SELYE, H. *Stress sans détresse*, Montréal, La Presse, 1974.

ST-ARNAUD, Y. *La personne humaine*, Montréal, Les Éditions de l'Homme, 1974, 2004.

TABLE DES MATIÈRES

Suivez-nous sur le Web

Consultez nos sites Internet et inscrivez-vous à l'infolettre pour rester informé en tout temps de nos publications et de nos concours en ligne. Et croisez aussi vos auteurs préférés et notre équipe sur nos blogues !

EDITIONS-HOMME.COM
EDITIONS-JOUR.COM
EDITIONS-PETITHOMME.COM
EDITIONS-LAGRIFFE.COM

Achevé d'imprimer au Canada
sur papier Enviro 100% recyclé